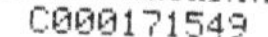

Scrittori italiani e stran

Luca Bianchini

Dimmi che credi al destino

ROMANZO

MONDADORI

Dello stesso autore in edizione Mondadori

La cena di Natale
Io che amo solo te
Siamo solo amici
Se domani farà bel tempo
Eros – Lo giuro
Ti seguo ogni notte
Instant Love

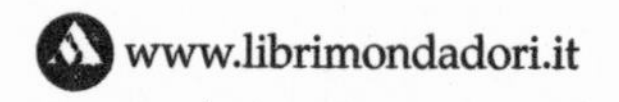

Dimmi che credi al destino
di Luca Bianchini
Collezione Scrittori italiani e stranieri

ISBN 978-88-04-65055-3

I edizione maggio 2015
Anno 2015 - Ristampa 3 4 5 6 7

Dimmi che credi al destino

All'Italian Bookshop di Londra

In uno o in due noi siamo una cosa sola.
EUGENIO MONTALE, *Satura*

1

Il cielo di Londra sembra fatto per raccontare l'amore.

Cambia continuamente, e anche quando ti illude con una giornata piena di azzurro, ecco che qualche nuvola compare all'orizzonte, si mette a correre veloce, e di colpo la luce è buio e la pioggia si mischia alle tue lacrime.

Poi per fortuna passa, passa tutto, ma nel momento in cui ti trovi in mezzo alla tempesta ti dimentichi di com'era prima e di come sarà.

Ornella si era innamorata di quel cielo un giorno di molti anni prima. Al suo arrivo non era stato un granché – un grigio monocorde – ma le era bastata mezz'ora di sole per cadere stecchita ai suoi piedi. In quello squarcio tutto le era sembrato possibile, anche la felicità, e si era convinta che Londra fosse il luogo perfetto in cui vivere.

Ora che lo stesso turchese stava di nuovo facendo capolino tra le nuvole, pensò che fosse il momento giusto per lasciare la libreria e andare a fare due passi. «Esco un attimo» aveva detto con quel tono inconfondibile di quando era distratta, e Clara l'aveva guardata appena, intenta com'era a riordinare la vetrina. Da quando aveva letto sul "Guardian" un articolo sulla "lettura multicromatica dello shopping inconsapevole", aveva iniziato a esporre i libri non in base al genere o alla collana, ma ai colori della copertina: quelli a dominante blu vicino ai rossi, e i gialli con i verdi. Più che l'Italian Bookshop di Hampstead, sembrava la bandiera del Gay Pride.

Ornella evitò di commentare perché non voleva alimentare la tensione degli ultimi giorni. Da vent'anni era la responsabile di Clara, ma continuava a essere in soggezione con lei, in quel modo tutto suo di non sentirsi mai all'altezza delle situazioni. Nel dubbio, anziché darle ordini, eseguiva compiti che non le sarebbero spettati.

Uscì fingendo di non vederla e si rifugiò nel suo foulard che la faceva sentire un po' parigina, o comunque francese. Si fermò a salutare il ragazzo del barbiere di fronte che stava fumando una sigaretta.

«Guagliuncella, hai già finito per oggi?»

«Non ancora. Ma non chiamarmi "guagliuncella", che sono vecchia.»

«Ma va'. Mia nonna è una vecchia, tu mica lo sei.»

«Quanti anni ha tua nonna?»

«Sessantacinque tra un mese.»

«Ecco, allora diciamo che per altri dieci anni mi puoi dare del tu.»

«Cioè tu hai cinquantacinque anni?»

Ornella si allontanò un po' offesa da quel ragazzo che continuava a fumare senza rendersi conto di ciò che aveva detto. Lui la guardò andare via leggera e pensò che non poteva avere solo dieci anni meno di sua nonna, soprattutto quando la sentì ridere con la fioraia qualche vetrina più in là. Ma Diego non sapeva che Ornella era difficile da inquadrare, e non solo perché non capivi mai che età avesse davvero. Da lontano sembrava una vecchia signora, da vicino una donna di mezza età. Ma quando ci parlavi si trasformava nella ragazza della porta accanto. Ora, mentre finalmente riusciva a percorrere Flask Walk senza altre interruzioni, pareva un'adolescente alla prima uscita con le amiche.

Le nuvole avevano di nuovo chiuso il cielo, ma ormai Ornella aveva imparato a interpretarlo quasi come il meteo della BBC. E a mano a mano che lasciava quelle stradine di case apparentemente tutte uguali, si sentiva sempre più inquieta. Aveva bisogno della sua panchina. Era la sua preferita al parco di Hampstead Heath, le apriva una piccola finestra su Londra che le faceva scoprire ogni volta una cosa diversa. Da un lato poteva scorgere una casa che si affacciava su un laghetto. Dall'altro una siepe le accorciava lo sguardo e lei si sentiva un po' Leopardi sull'ermo colle. In mezzo, una distesa di tetti. Era una panchina un po' solitaria e quasi sempre libera, perché dovevi scovarla.

C'era però un altro frequentatore che le era affezionato quanto lei: Mr George. Anche lui la considerava la "sua" panchina e ogni giorno, quando il tempo glielo permetteva, andava lì a leggere il "Times" o qualche pagina dei suoi amati libri. Quando lo vide, Ornella tirò un sospiro di sollievo. Se fosse rimasta sola probabilmente si sarebbe messa a piangere subito, ma Mr George aveva la capacità di sedarla più di venti gocce di Ansiolin.

All'inizio i due un po' si erano odiati. Chi arrivava prima si accomodava e l'altro, pur essendoci spazio per entrambi, era costretto a una seconda scelta. Ma mentre Mr George la prendeva con spirito *british*, Ornella tirava fuori l'Italia del melodramma: alzava gli occhi al cielo come a dire "sempre a me" e cominciava il pellegrinaggio per il parco alla ricerca di un altro posto dove sedersi. Un giorno, però, quando la vide spuntare, Mr George le fece cenno di accomodarsi accanto a lui. Ornella accettò perché non aveva avuto il tempismo di dire "no, grazie", un po' come quando ti aspettano per prendere l'ascensore.

Per settimane, erano rimasti seduti uno accanto all'altra, leggendo o guardando l'orizzonte, facendosi un cenno di saluto all'inizio e alla fine. Ma quel rapporto presto era cambiato perché Ornella aveva due grandi amori: i libri e gli esseri umani. E non poteva non innamorarsi di un vecchietto che aveva fatto la guerra, aveva studiato a Perugia e leggeva Calvino. Ogni tanto lo vedeva nel quartiere, anche se riuscivano a conversare solo quando si trovavano lì.

«Come sta, Ornella?»

«Abbastanza bene, dài.»

«Quando dice "abbastanza bene" come minimo ha litigato con Clara.»

«Come ha fatto a indovinare?»

«Sono vecchio e lei non sa mentire.»

Ornella parlò sapendo di avere poco tempo.

«Ha presente il proprietario, Mr Spacey? Vorrebbe chiudere la libreria.»

Usò il condizionale perché la verità le faceva paura. Mr George accennò un "*Oh my God*" quasi senza scomporsi. Alzò gli occhi dal libro e lo posò di fianco a sé.

«Sbaglio o lo aveva già detto altre volte?»

«Sì, ma adesso fa sul serio. Ha detto che aspetta ancora due mesi e poi deciderà.»

«Quindi lei ha un po' di tempo per cambiare le cose.»

«Non ci riesco. Quel posto per me è tutto. Gli ho dedicato le mie energie, ho fatto sacrifici... e ora non possono farmi questo. Non me lo merito.»

«Mi ha sempre detto che la libreria l'ha salvata. Ora è lei che deve salvare la libreria.»

Le parole vennero pronunciate con un tono incredibilmente alto per Mr George. Rimbombarono nelle orecchie di Ornella come il tuono che annuncia un temporale. E che per una volta, anziché farle paura, le diede un briciolo di speranza.

«Credo che ormai sia tardi.»

«Non è mai tardi per gli eroi. Non si dimentichi che io ho fatto la guerra e so cosa vuol dire combattere. Tu puoi essere il tuo alleato ma anche il tuo peggior nemico. Quindi la prima cosa da sconfiggere è la paura.»

«Ma io ho paura! E poi penso a quando...»
Mr George la interruppe.
«In guerra la cosa più importante è non pensare: non pensare al passato e non pensare al futuro. Perché è lì che scatta la paura. Se lei si concentra solo sul presente sarà più forte per affrontare la battaglia. Se la sente, Ornella?»
«No.»
«Invece deve provarci, soprattutto perché è italiana.»
«E cosa c'entra che sono italiana?»
«Voi italiani sapete sempre togliervi dai guai.»
«Quelli sono i napoletani.»
«Per noi siete tutti napoletani.»
Mr George accennò un sorriso e per un attimo Ornella riuscì a immaginarlo com'era da ragazzo. Lo vide in divisa, pieno di fascino, con le donzelle che sognavano di fuggire con lui.
«In questo momento l'unica idea che mi viene è ammazzarmi.»
«Ma lei è troppo grande per ammazzarsi. Sarebbe patetica. Non ci si suicida alla sua età.»
«Quindi sono fuori tempo anche per un gesto plateale a Trafalgar Square?»
«Ci pensi, Ornella. Sono sicuro che in cuor suo sa come provare a risolvere il problema... Si concentri. Ora mi scusi ma vorrei finire questo capitolo perché altrimenti non ci capisco più niente.»
Mr George riprese a leggere come se nulla fosse, mentre Ornella cercava qualche appiglio nel paesaggio per togliersi da quell'attacco di malinconia. La libreria era la sua unica zattera, e non poteva lasciarla andare. Ripensò alla prima volta che ci era entrata e a come l'avesse sentita subito sua. Perché ci si innamora anche dei luoghi, non solo delle persone. Mr George però le aveva appena detto di non pensare, e lei voleva sforzarsi di essere diligente. Qualità per lei molto difficile, a meno che si trattasse delle raccolte punti di negozi e supermercati, di cui era l'esperta mondiale.

Ci voleva un guizzo, un colpo d'ali. Ci voleva san Gennaro.

Fu lì che Ornella ebbe un'illuminazione. La Patti. Aveva bisogno della Patti. Guardò il cielo e vide di nuovo alcune nuvole in arrivo.

2

La Patti aveva passato la vita a combattere due grandi nemici: lo specchio e la zia Lucrezia. Lo specchio l'aveva illusa nei primi vent'anni, quando riusciva a entrare comodamente in una taglia quarantadue e per pagarsi gli studi universitari faceva la modella. La zia Lucrezia l'aveva disillusa negli ultimi venti, quando le aveva detto che moralmente non avrebbe avuto diritto all'eredità, in quanto moglie del suo unico discendente diretto: Adolfo. La zia aveva usato proprio la parola "moralmente", e lei si era sentita umiliata.

Negli anni di mezzo, aveva lottato contro se stessa.

A differenza di Ornella, lei amava più i libri che gli esseri umani, almeno così diceva, e lo dimostrava facendo la correttrice di bozze per diverse case editrici. Leggere i romanzi prima degli altri le dava una grande emozione, anche quando le storie erano brutte, o inutili, o scritte male. Lei si sforzava di voler bene lo stesso a tutti, eccetto a quelli che seguivano troppo le mode o facevano leva sulle debolezze delle persone, scrivendo frasi del tipo: "Ritrova te stesso" o "Quello che conta è il sole dentro di te". In quei casi stava proprio male.

Avendo un marito precario per vocazione – lui in realtà aspettava solo l'eredità – la Patti faceva fatica ad arrivare a fine mese. Soprattutto perché viveva in una casa quasi principesca nel cuore di Milano, con soffitti affrescati, tappeti persiani e pure una credenza del Settecento che la zia Lucrezia aveva messo a loro disposizione. Peccato che se la dovesse spolverare da sola, e non c'è niente di più frustrante di un appartamento da ricchi gestito da poveri. Di abitazioni come quella, solo a Milano, la zia ne aveva almeno altre dieci, tutte affittate, ma i profitti andavano direttamente sul suo conto. Per non parlare della villa di Forte dei Marmi, che lei riservava ai russi. Nessuna concessione a quel nipote amministratore di condomini – i suoi – e alla moglie di lui che stava tutto il giorno a sottolineare fogli fotocopiati, che poi tanto i libri belli sono già stati scritti.

La morte non si augura a nessuno, diceva la Patti, ma forse a novantacinque anni si può anche pensare di cominciare a separarsi dai beni terreni. Per cui accettava stoicamente la sua vita da nababba solo potenziale, accontentandosi di quella grande casa con credenza incorporata che lei avrebbe venduto volentieri, ma suo marito glielo impediva per il terrore di essere diseredato dalla zia. Aveva l'impressione di essere sempre un po' prigioniera, e forse per questo i libri erano il suo pane. La facevano sentire libera.

Ornella la chiamò mentre leggeva le bozze di *Incubo di Ferragosto* tenendo i piedi a mollo nella bacinella: aveva deciso di fare le pulizie scalza e ora le erano venute le vesciche.

«Ti disturbo?»

«Tu mi puoi chiamare anche mentre compro un paio di scarpe che ti risponderò.»

«Bene, allora se vuoi evitare un morto sulla coscienza devi venire qui a Londra.»

«Hanno scoperto che hai rubato il nano da giardino?»

«No, peggio. Non te lo posso dire.»

«Dài, dimmelo.»

«Ok, va bene.»

Di fronte alla Patti, Ornella capitolava senza alcuna resistenza.

«Mr Spacey vorrebbe chiudere la libreria.»

Continuava a usare il condizionale.

«E tu dove andrai? Sarai in mezzo a una strada, da sola, a vendere i prodotti Avon o i contenitori Tupperware a casa della gente...»

«A drammatizzare ci penso da sola. Ho bisogno che tu venga qui il prima possibile, perché conosci i libri e conosci me.»

La Patti intuì dalla voce dell'amica che si trattava di un problema serio, per cui pensò fosse più rispettoso affrontare la conversazione tirando fuori i piedi dalla bacinella.

«Ornella, lo farei volentieri, ma ora non posso.»

«E perché?»

«Non c'ho un soldo e devo consegnare *Incubo di Ferragosto*.»

«Ma il biglietto te lo regalo io.»

Davanti a un biglietto aereo la Patti si rianimava come davanti a una signora delle pulizie.

«Un volo di linea?»

«No, Patti. Ma c'è un Ryanair da Bergamo comodissimo. Te lo prenoto stasera, ok? Dimmi di sì, *please*.»

«Ornella, non so se...»

«Ti ricordo solo che quando hai rovinato il tappeto di Clara con il tuo vomito ho detto che ero stata io.»

«Ti odio quando me lo ricordi. Comunque è stata l'unica volta che mi ha invitato a casa sua... non vorrei che mi associasse a quella cosa lì!»

«Magari se lo immagina che sei stata tu.»

«Chissà Clara come ti farà sentire in colpa ora con questa storia della libreria.»

«Lasciamo perdere.»

«Sicuramente ti avrà dato tutta la responsabilità e tu le avrai dato ragione. Comunque ne parliamo a Londra.»

«Quindi sì???»

«Solo se mi mandi il minicab.»

«Ok, ti faccio venire a prendere dal tuo indianino preferito. Appena ho il biglietto ti do le coordinate. *I love you*.»

«I love you too.»

Ornella chiuse la telefonata lasciandosi il parco alle spalle e iniziò a saltellare mentre tornava verso la libreria. Intorno a lei, gli extraterrestri la guardavano sorridenti: li chiamava così, i patiti della corsa, dei muscoli e dei bianchi d'uovo alla mattina. Le sembrava sempre che le sorridessero, gesto che avvalorava la definizione di E.T., perché non aveva capito che era solo la loro espressione di fatica.

Il mondo secondo Ornella era più accogliente di quanto non fosse in realtà, ed era questa fiducia incondizionata negli esseri umani ad averla resa a volte un po' ingenua, ma sempre incredibilmente lucida nell'interpretare la realtà.

Andava in confusione solo per le cose cui teneva davvero, e la libreria era al primo posto. Quello era il suo salotto, la sua camera, il suo prato sotto l'albero una notte d'estate. Ed era proprio tutto questo che aveva fatto innamorare sia gli italiani sia gli inglesi. Gli italiani ci ritrovavano un po' di casa, gli inglesi un po' d'Italia. Difficilmente si mischiavano tra loro, anche se quando avveniva era tutto un po' surreale.

Le due libraie avevano implicitamente deciso di dividersi i clienti. Ornella si occupava di quelli italiani, Clara dei suoi adorati inglesi. Clara era più *british* dei *british* e da quando ne aveva sposato uno – di Londra Nord, precisava – aveva cominciato a rinnegare la moka e così, durante le pause nel retrobottega, Ornella metteva su il caffè mentre lei si faceva una tazza di Earl Grey.

Anche se era rimasta vedova presto, Clara aveva deciso che la solitudine era la sua dimensione ideale. Come una vera lady, andava interpretata. Se era arrabbiata non te lo diceva apertamente, si limitava a parlare meno, ed era così gentile da trarti in inganno. Ornella non capiva quei suoi atteggiamenti, per cui le due donne convivevano nel negozio senza mai comprendersi del tutto.

Quando rientrò dal parco, Ornella trovò in vetrina i libri esposti in modo da riprodurre i colori della bandiera inglese: le grammatiche bianche vicino ai Camilleri blu, in mezzo a pile di Inferni di Dante rossi. Strabuzzò gli occhi inorridita da tanta pacchianeria, ma Clara non solo non colse la sua reazione, la fraintese pure: «Sapevo che ti sarebbe piaciuta» le disse.

Ornella cercò di ovviare a quello che riteneva un vero e proprio danno d'immagine:

«... Anche se forse era meglio la bandiera italiana, no?»

«Gli italiani sono attaccati alla bandiera solo durante i Mondiali di calcio. Invece gli inglesi apprezzeranno, fidati di me che ne avevo sposato uno, buonanima.»

«Di Londra Nord, tra l'altro.»

Di fronte a "Londra Nord", Clara si sciolse e Ornella si sentì un po' più sicura di sé. Come se fosse lei a dover compiacere l'altra, e non viceversa. Così ne approfittò per dirle che la Patti sarebbe arrivata presto a dare qualche consiglio, e Clara lo considerò subito un attestato di disistima nei suoi confronti. «Bene» commentò con un sorriso dolcissimo – che l'altra ovviamente prese alla lettera – prima di andare di corsa a servire una cliente.

Sapere che potevano essere le ultime volte in cui compiva quei gesti faceva muovere Clara come una forsennata, perché aveva la presunzione di essere la migliore libraia di Londra.

Ornella, invece, era in preda a una strana mestizia che la rendeva simile a una radio con le pile scariche. Di conseguenza i clienti reagivano all'umore generale facendo acquisti sorprendenti: quel pomeriggio, un signore tornò a casa con una copia di *La mia ricetta per la serenità* di Giovanni Rana.

Clara uscì prima della chiusura accampando che aveva una cena. Ornella non ebbe la forza di obiettare e restò da sola a sistemare le ultime cose. Era un esercizio che la rilassava. Fece tutto con calma e, quando vide Diego ancora fermo davanti alla vetrina del barbiere, pensò che le sarebbe piaciuto fumare solo per chiedergli: "Hai da accendere?".

3

Un napoletano non potrà mai lasciare veramente Napoli. Potrà dimenticarla per un periodo, potrà non rivederla per anni, ma quel golfo e i suoi colori prima o poi torneranno da lui. Diego non faceva eccezione, anche se odiava il caffè in tazza calda e la pizza gli restava sullo stomaco, e ora finalmente lo poteva ammettere.

Ornella non lo conosceva, ma lo salutava dal primo giorno in cui l'aveva visto – almeno un mese – anche se quella specie di sorriso con cui lui la guardava la metteva a disagio. In realtà, la osservava perché si sentiva solo, e quella donna gli ispirava fiducia.

Prima di Londra, Diego aveva lavorato come ragioniere in una cooperativa, che poi era fallita, facendo sentire un fallito anche lui. Era pure naufragata tristemente la sua storia d'amore con una ragazza. Toccato il fondo, aveva deciso di ricominciare all'estero, e Londra era stata l'unica meta possibile. Perché un suo cugino era da tanto che gli diceva di venire, lui che era riuscito a entrare in uno studio legale. Poi, però, quando si era trattato di aiutarlo concretamente a trovare casa e lavoro, era sparito e Diego era rimasto da solo a distribuire curricula a ristoranti, bar e catene di abbigliamento. Era stato l'orgoglio a fargli trovare quel posto come barbiere. Sarebbe stato per sempre grato a suo nonno che gli aveva insegnato un mestiere, quando il sabato se lo portava nella sua bottega a borgo dei Vergini: "Uaglio', un gran signore si riconosce dalle scarpe e da un bel taglio di capelli!" gli ripeteva.

Ma vedendo Diego non avresti mai pensato a una persona complessa, perché lui diceva che la gente aveva già abbastanza problemi per cui non gli puoi rovesciare addosso anche i tuoi.

Ornella lo guardava chiedendosi se sarebbe stata in grado di iniziare una conversazione, stanca com'era della sua giornata di lavoro.

«Io non ho ancora capito chi comanda nella tua libreria.»

Lei si rese conto che non era una domanda stupida.

«Io sarei la direttrice, diciamo così, e Clara è una dipendente. Anzi, una collaboratrice, come bisogna dire oggi per non offendere nessuno. Poi c'è il proprietario, Mr Spacey, che non viene mai e quando viene sono dolori.»

«Ah sei tu la direttrice?»

«Perché, non sembra?»

«No, ti muovi sempre come se avessi paura. Temi che quell'altra ci resti male, maronna mia... e quella sta sempre storta... quando vi mettete a sistemare la vetrina vi sento di là e mi fate venire i nervi. E poi a me i libri messi così mi sembrano un carnevale, dai retta a me! Ci credo che poi la libreria va male...»

«E tu cosa ne sai?»

«Io sarei napoletano, diciamo così.»

Ornella sorrise, e avrebbe sempre più voluto accendersi una sigaretta e fargli compagnia. Diego, come se le avesse letto nel pensiero, le lasciò in mano la sua e rientrò in negozio a prendere la giacca. «Su andiamo» le sussurrò riprendendosi la Marlboro, «offriamo una birra a questa bella signora prima che le venga l'appucuntria» le disse facendole gonfiare l'ego in modo spropositato. Dopo i cinquant'anni la parola "bella" equivale a "bellissima".

«Cos'è l'appucuntria?»

«È quel misto di noia, nostalgia, mal d'amore, insoddisfazione e solitudine.»

«Ah, ce le ho tutte!»

Diego pensò che Ornella era una napoletana mancata e si sentì un po' a casa. Lei aveva ritrovato il solito passo e sembrava rilassarsi. In fondo le bastava un complimento per cambiarle l'umore, e mai come in quei giorni ne aveva bisogno. Era la campionessa mondiale di cadute – scale, scale mobili, androni, porte girevoli, pavimenti bagnati, pavimenti sdrucciolevoli, tappeti, sentieri, bar – ma continuando a cadere si rischia poi di non rialzarsi più. Ora però un giovanotto le offriva una birra e un braccio, e lei era contenta così.

Per essere maggio non faceva caldo, ma entrambi sentirono la necessità di sedersi fuori dal pub. Come se l'aria fresca li aiutasse a chiarirsi le idee. Ornella si accomodò al tavolino all'angolo della via, e Diego entrò a prendere da bere. Dopo poco tornò a mani vuote.

«Scusa, guagliuncella, ma mi è venuto un dubbio: tu sei da birra o da prosecco?»

«Oh, io bevo tutto ma preferisco le bollicine. »

«Lo sapevo, ja'. Tieni proprio la faccia.»

Ornella tolse il foulard e per un attimo dimenticò le preoccupazioni. Nascose la borsa sotto il tavolo e si mise comoda mentre Diego le portava due bicchieri accompagnandoli con un sorriso. All'estero ogni gesto assume un significato più profondo, perché la solitudine amplifica tutto, e avere qualcuno con cui chiacchierare dopo il lavoro può diventare la tua festa di compleanno.

Le giornate si stavano allungando e il cielo regalava sfumature difficili da imitare. Flask Walk era un viavai di persone veloci, che sembravano correre verso chissà quale appuntamento.

Diego e Ornella restarono lì a vederle passare e a bere prosecco, leggermente impacciati. Nessuno dei due voleva lasciare indizi del proprio malessere, quindi sorridevano e bevevano, limitandosi alla superficie delle loro esistenze.

«Anche a Napoli facevi il barbiere?»

«No, lì facevo il ragioniere per una cooperativa di prodotti equosolidali: il Sud del mondo, il chilometro zero, tutte quelle cose che ti fanno sentire utile alla società... Poi so' finiti i soldi e me ne sono venuto qui.»

«Oddio, povero, mi dispiace.»

«E per cosa, per il lavoro? Sai quante persone stanno nella mia situazione? Almeno ora riesco a mantenermi... E poi l'importante è stare bene con se stessi.»

«E tu stai bene con te stesso?»

«Io sto una chiavica... ma tutt'appost', poi mi ripiglio.»

Ornella capì il senso, ma non le parole, e avrebbe voluto rispondergli: "Non sei solo". Invece gli disse: «Passerà», come la canzone di Aleandro Baldi. Lo invitò a finire di bere e si alzò per andare a prendere il secondo giro. Diego provò a fermarla, ma lei lo fulminò dicendo: «Non puoi vietare a una bella guagliuncella di offrirti un altro bicchiere». Quanto si piacque mentre lo diceva, neanche fosse Angela Luce in *Lacrime napulitane*, e fu per miracolo se riuscì a tornare al tavolo senza rovesciare i bicchieri.

Entrambi sentivano il bisogno di novità. Diego si calò nel ruolo del seduttore che associa ancora l'Inghilterra a una meta adolescenziale dove spezzare i cuori. Cercava di essere simpatico e di ridere anche quando non era il caso, in una sorta di ansia da prestazione senza motivo. Un paio di vetrine più in là, la ragazza del negozio di fiori stava vendendo un bouquet.

«E di lei che mi dici?»

«Julie? Ah, è adorabile. È danese e gestisce questo posto delizioso con sua sorella, che tra l'altro sta con un ragazzo italiano.»

Ornella sapeva vita, morte e miracoli di quelli che lavoravano intorno alla libreria.

«E Julie è fidanzata?»

«Prima lo era di sicuro, perché un tizio la aspettava sempre davanti al negozio alla sera... ora sono due o tre settimane che non lo vedo più. Oddio, non si saranno mica lasciati?»

«Tanto l'amore è sempre una lotta, Orne'. E tu sei sposata?»

Lei lo guardò con un sorriso tirato, che a volte è più eloquente di un broncio. E anche se era una domanda semplice, banale e comprensibile, non seppe rispondere.

"Tu sei sposata?" era la cosa più difficile che le persone le potessero chiedere.

Diego interpretò il suo silenzio come quello di una zitella in imbarazzo, e provò a distrarla parlandole dell'unica persona che gli venne in mente in quel momento: sua mamma Rosa. Ornella gli chiese:

«Ma tua mamma è una di quelle che ti manda i pacchi con le mozzarelle?»

«Guarda che sto qua da un mese! E poi le mozzarelle no perché sono intollerante al lattosio.»

«Oh mi spiace.»

«Ma va', è una fortuna! Sai che oggi bisogna essere intolleranti almeno a una cosa altrimenti a cena non vieni più considerato... Se mangi tutto, diventa un problema. Tu a cosa sei allergica?»

«Per ora a niente, ma a questo punto m'ingegno subito. Va bene anche se dico pomodoro?»

«Certo, si può essere intolleranti a tutto. Ma è meglio dire cose più particolari tipo l'origano o le rape rosse.»

«L'intolleranza all'origano mi piace! Non vedo l'ora di cominciare.»

«Brava! E vedrai come verrai subito rispettata.»

Diego gesticolava molto mentre sosteneva quella conversazione surreale, e con l'occhio ogni tanto puntava Julie, quando lei faceva capolino per sistemare le piante esposte.

Ornella lo ascoltava e rideva, e già si immaginava la sua vita da intollerante. Fino a che si rese conto che si erano fatte le sette e venti e stava per iniziare la soap opera di cui avrebbe tanto voluto far parte: *EastEnders*.

4

"Tu sei sposata?" Ornella tornò a casa ripetendosi quella domanda come se dovesse essere interrogata a un processo.

"Non so se lo sono ancora" era l'unica risposta che le veniva in mente, e che non riusciva mai a dire. Si ricordò del consiglio di Mr George e cercò di concentrarsi sul presente. Si fermò da Paul's a prendere un trancio di pizza e chiese due volte se c'era l'origano perché "era intollerante": proclamarlo ad alta voce le diede molta soddisfazione, e fu felice di sapere che conteneva solo pomodoro e "*mozzarella cheese*".

Rivedere la sua villetta in mattoncini scuri a Hampstead la fece sentire al sicuro. Era su due piani, più alta che larga, con stanze a dire il vero piuttosto anguste, anche perché traboccanti di roba che Ornella non riusciva mai a buttare.

Gliel'avevano regalata i suoi genitori quando aveva deciso di trasferirsi lì, prima che la città venisse presa d'assalto dai ricchi del mondo: "Cerca di non allagarla subito, come hai fatto quella volta a Verona" le aveva detto sua madre, e suo padre aveva staccato l'assegno accennando un sorriso.

Davanti alla casa c'era un piccolo giardino in cui svettava un cipresso solitario e, a fare da guardia, un nano di gesso. Ornella lo aveva rubato dalla vicina di Clara, la signora Phillida, che li collezionava e li esponeva nel suo prato. Questo però aveva un braccio rotto, per cui la signora lo teneva nelle retrovie, così Ornella aveva deciso di rendergli giustizia, come nel film di Amélie Poulain. Una sera aveva scavalcato il muretto e lo aveva rapito. Dopo averlo nascosto in salotto per un mese, lo aveva ridipinto di rosso e piazzato sotto il cipresso. Solo un osservatore attento avrebbe riconosciuto il braccio rotto, ma chi mai si mette a fissare un nano da giardino?

Oltre al nano, Ornella aveva da anni anche un vicino su cui poteva contare, Bernard, che abitava nella villetta di fianco alla sua. Quando aveva qualcosa da dirle le lasciava un biglietto sotto la porta. Quella sera si era limitato a scrivere "C'è posta per te", e lei pensò subito che fosse la Golden Card del supermercato, cui aveva diritto dopo dieci anni di fidelizzazione.

Invece era il kit di tisane drenanti vinto al concorso "Goodbye cellulite". Fu tentata di precisargli che non aveva bisogno di quel genere di prodotti, ma Bernard sembrava sempre un po' formale, e negli anni non era cambiato. Era un tipo piuttosto impenetrabile. Ornella sapeva solo che si occupava di risorse umane, almeno lei così aveva capito, uno di quei lavori che sono belli da dire e difficilissimi da spiegare. Ma dei vicini di casa non si deve diventare amici, pensava, altrimenti non sai più dove finisce il tuo giardino e comincia il loro.

Ritirato il pacco, Ornella rientrò nel suo covo, il cui disordine si fondeva con un profumo di limone e parquet che metteva a proprio agio chiunque varcasse quella soglia. Le piccole stanze sembravano invitare alla lettura, e ad eccezione di pochi programmi televisivi – oltre a *EastEnders*, non si perdeva una puntata del *Graham Norton Show* – le sue sere erano scandite o dai rumori della lavatrice, che quando partiva la centrifuga sembrava esplodere, o dal suono dei fogli di carta. A volte si sovrapponevano e ovviamente vinceva la lavatrice.

Ornella amava leggere vicino alla finestra, sulla poltrona rossa a cui mancava un piede, che lei aveva sostituito con tre volumi di *L'uomo che sussurrava ai cavalli*. Iniziava spesso più libri contemporaneamente, e a volte faceva confusione con le trame, tipo che cercava l'assassino tra le pagine di Sepúlveda. Quella sera, però, l'unica cosa che voleva leggere erano le clausole di Ryanair mentre prendeva il biglietto per la Patti.

Per Ornella fare un acquisto online era un'impresa, e ogni volta che cliccava "compra ora" il sistema le diceva che mancava una crocetta. Aveva talmente paura di dimenticare qualche casella, che nel dubbio le cliccava tutte, acquistando anche cose che non le servivano: assicurazioni, auto a noleggio, alberghi, valigie, posti extra-large.

Così, dopo aver bevuto la prima tisana "dagli effetti diuretici straordinari" – perché è dai piccoli gesti che si ottengono i grandi risultati –, si era armata di carta di credito per prenotare il Milano-Londra, anche se la partenza era la sera tardi. Immaginare la Patti muoversi a quell'ora era un vero esercizio creativo, ma Ornella era fondamentalmente un'ottimista, per cui la chiamò.

«Come sarebbe che il volo è alle 23.40?»

«Lo sai come sono queste compagnie low-cost.»

«Ma un'alternativa non c'è?»

Ornella riuscì a trovare un volo per il giorno seguente alle 6.40 del mattino senza incartarsi, dopo aver fatto una sorta di rito voodoo con una foto della Patti.

«Tu mi stai dicendo che tra poche ore devo già essere in aeroporto?»

«Non è tra poche ore, dài. E poi ti mando l'indianino con il minicab... ti porto a cena nel nostro posto... Patti, come te lo devo dire che ho bisogno di te?»

«Va bene come l'hai detto. Ma Clara lo sa?»

«Sì, gliel'ho accennato, ma non ha avuto la minima reazione.»

«Comunque io domani devo finire di rileggere questa boiata di *Incubo di Ferragosto*.»

«Stai tranquilla, lascio le chiavi a Bernard, ti sistemi qui e poi ci vediamo.»

«Ma alla fine hai capito se Bernard è gay o single?»

«Non mi sembra importante ora. Procedo?»

«Clicca! Ma cerca di farmi atterrare a Gatwick e non a Glasgow, come l'altra volta.»

Ornella era così eccitata quando chiuse la telefonata, che riuscì a perdere tutti i dati inseriti. Ci mise almeno venti minuti per ritrovare le coordinate, schivare le chicane sullo schermo senza acquistare nemmeno un'assicurazione, e dovette richiamare la Patti per sapere se le bastavano dieci chili di bagaglio: ovviamente lei le rispose che per le scarpe erano proprio pochi. Ornella telefonò poi a Samir l'indiano, perché andasse a prendere la sua amica in aeroporto, e impiegò un quarto d'ora a spiegargli come si scriveva "Patti".

Quando finalmente poté pensare a sé, si rese conto che *EastEnders* era finito da un pezzo. Ornella rivide quella giornata partita male e finita con le tisane drenanti. Il suo amato Italian Bookshop – che lei chiamava al maschile – non poteva certo chiudere. Perché Flask Walk non sarebbe più stata la stessa senza quella vetrina che ora rispettava il "percorso policromatico dello shopping inconsapevole". Perché gli italiani di Londra non potevano starsene a ordinare su Amazon, senza Ornella che cantava *Perdere l'amore* convinta che nessuno la sentisse. E anche gli inglesi sarebbero stati smarriti. Dove avrebbero potuto trovare un thriller più avvincente di *Delitto in Piazza del Campo*?

Prima di rispondere, era meglio bersi un bel bicchiere di vino. Ornella aprì uno Chardonnay e se ne versò in abbondanza, mentre si apparecchiava una cena che era più un aperitivo: pomodori secchi, formaggio e pane. Le parve di notare un po' di origano sui pomodori secchi, ma non poteva fingere di essere intollerante anche con se stessa.

Il suo ottimismo svanì a mano a mano che l'euforia del vino lasciava spazio all'effetto drenante della tisana, che l'avrebbe fatta correre in bagno ogni mezz'ora.

5

Clara si sentiva così inglese che ormai non ricordava più cosa fossero un cornetto e un cappuccino. Un muffin, semmai, o uno *scone* pieno di burro erano una valida alternativa per colazione, anche se lei preferiva il porridge. Era questo che la rendeva diversa dagli altri italiani che avevano scelto Londra: lei si sforzava di assomigliare agli inglesi a cominciare dal cibo.

Continuava a frequentare il suo ristretto giro di amiche di Londra Nord – Hampstead, per lo più – e a evitare gli italiani di Londra Ovest, cioè tutti. Non conosceva nessuno né di Londra Est né di Londra Sud, che per lei andavano boicottate come le pellicce di lapin.

Aveva un debole per i musical, ma non osava confessarlo. Così ci andava da sola quando le mancava il marito e aveva bisogno di piangere. Aveva visto di tutto, da *Mamma Mia!* a *Priscilla,* e ogni volta pensava che l'ultimo spettacolo fosse il migliore.

Clara era molto legata alla libreria, anche se sembrava tenesse sempre un certo distacco, che Ornella non era mai riuscita a scalfire. Ed era così pessimista, che non poteva considerare l'ultimatum di Mr Spacey come una semplice possibilità: per lei era una morte annunciata.

Passò una notte difficile prevedendo il resto dei suoi giorni in casa, in compagnia del suo gatto immaginario, che descriveva a tutti come timido e problematico. Era stata un'idea di suo marito, e quindi lei aveva deciso di mantenerla in vita anche dopo la sua scomparsa. Continuava a divertirsi a far finta di togliere i peli dal divano quando entravano gli ospiti, oppure a chiedere se erano allergici ai gatti.

Quella mattina si svegliò con lo stomaco così chiuso che riuscì a mangiare solo un'omelette.

Pure lei aveva una casetta indipendente non lontano da quella di Ornella, anche se era più elegante: bianca, con due colonne a sostenere l'ingresso e un prato curato in modo maniacale. Era l'abitazione di famiglia di suo marito, e lei l'amava per quello. Prima di accelerare il passo verso Church Hill Road, si sporse tra i nani della signora Phillida e le lasciò un biglietto in cui la invitava per un tè la settimana successiva. I biglietti scritti a mano erano le telefonate che non faceva per il terrore di disturbare. Anche Ornella, ogni tanto, trovava i suoi messaggi dietro la porta, ma anziché leggerli, cercava di indovinare in quale momento fosse passata.

Clara arrivò con quindici minuti di anticipo per ammirare la sua vetrina con la bandiera inglese. Rivedendola, non le sembrò poi così straordinaria, ma non avrebbe potuto confessarlo a nessuno. Accese subito il bollitore e andò al *corner* dedicato ai suoi clienti inglesi: libri facilitati, quaderni di esercizi, grammatiche e vocabolari.

La prima a entrare, però, fu una ragazza italiana. Cercava qualcosa da leggere visto che le era piaciuto tanto Fabio Volo, e Clara quelle che nominavano Fabio Volo le voleva ammazzare tutte.

La fissò a tal punto che la ragazza iniziò a grattarsi la testa come se avesse i pidocchi. Fu in quel momento che arrivò Ornella.

«Allora, ti è piaciuto Fabio Volo?»

«Tanto.»

«Vedi? Era proprio il tuo libro... adesso magari potresti provare a leggere qualche altro autore, cosa dici? I libri sono come gli amici, ogni tanto bisogna vederne altri.»

Per lei i lettori meritavano tutti la stessa attenzione. La ragazza la guardò come se fosse un oracolo, e Ornella cominciò a mostrarle qualche altro scrittore contemporaneo. I libri glieli passava in modo che lei potesse toccarli. La lasciò sola per qualche minuto e andò a togliersi la giacca. Clara le chiese come al solito se voleva una tazza di tè e Ornella non sapeva più come dirle di no. Poi prese coraggio, provò a modulare la voce e le parlò.

«Come ti accennavo, oggi arriva la Patti qui per qualche giorno... magari ci dà un po' di idee per tirarci fuori da questa situazione.»

«Ne dubito... chi legge libri per lavoro non è detto che li sappia anche vendere.»

Il pessimismo di Clara era venato di un certo realismo.

«Lo so, ma una testa in più male non ci fa.»

«E quando arriverebbe questa testa?»

«Credo che stia per atterrare, però deve finire dei lavori suoi quindi non so bene quando la vedremo.»

«Be', tanto starà tutto il tempo a guardarsi le scarpe. Finisci tu con la svanita per Fabio Volo o devo andare io?»

La ragazza guardava Ornella sventolandole i due libri scelti: *Tu sei il prossimo* e *Un calcio in bocca fa miracoli*. Aggiunse anche un regalo di compleanno, e il suo slancio mosse Ornella a farle una confezione in stile uovo di Pasqua.

La libreria sembrava un negozio di stoffe che metteva tutti a proprio agio: né troppo grande, né troppo piccola, con volumi accatastati ovunque e tanti angoli dove appartarsi. Sulla porta del retro c'era attaccato un poster di *Aprile* autografato da Nanni Moretti e dagli scrittori che erano passati da lì. Ma la vera attrazione era la vaschetta accanto alla cassa con due pesciolini rossi chiamati Russell & Crowe, che solo Ornella sapeva distinguere: Russell era quello che faceva i salti, Crowe era più timido e diffidente. Alcuni clienti andavano alla cassa non per pagare, ma per vederli.

Rimaste sole, le due libraie evitarono qualsiasi altro discorso.

Nel frattempo, in aeroporto, la Patti era la protagonista assoluta di "Cercasi Samir disperatamente". Era così plateale, nella sua solitudine affranta, che un agente l'aveva trattenuta per controllarle il bagaglio. Dopo aver visto la quantità di scarpe, però, aveva desistito, e lei ne aveva approfittato per cambiare quelle che aveva addosso con un paio più adatto per un ritorno a Londra in grande stile. Si sentì profondamente sollevata quando vide l'autista con il cartello "Mrs Patty", ma precisò che non c'era bisogno né di "Mrs", né della "y" finale. Era semplicemente la Patti, come Patti Smith.

Samir le sorrise perché, malgrado i dieci anni di Londra, ancora non riusciva a capire bene la lingua e con il sorriso non si sbaglia mai. Le prese il bagaglio e la guardò quell'istante in più che le insinuò subito pensieri maliziosi. Suo marito Adolfo era a Milano, zia Lucrezia era lontana, e le scarpe appena indossate la facevano sentire una *femme fatale*, anche perché sovrastava il povero indianino. Se solo Ornella l'avesse vista flirtare con lui, l'avrebbe subito rispedita in Italia, per poi supplicarla di tornare. La Patti, in realtà, era molto più seria di quanto volesse dare a vedere.

In aereo, malgrado le adolescenti in gita scolastica che le gridavano alle spalle, si era portata avanti con la lettura delle sue bozze, e anzi aveva trovato un paio di errori piuttosto gravi per quello che doveva essere il bestseller annunciato dell'estate. Anche in auto, quando aveva visto che fare conversazione con Samir era un'impresa, si era sfilata i tacchi di nascosto e aveva continuato a leggere.

Appena si rese conto che la città stava prendendo forma, rimise via i fogli e cominciò a guardare fuori. La guida contromano si confermò ancora una volta una magia che non riusciva a spiegarsi: lei si sarebbe schiantata alla prima curva.

Conosceva Hampstead da quando Ornella ci si era trasferita, perché ogni anno, appena aveva qualche soldo da parte, prendeva un aereo e andava a casa sua.

Quando si incontravano, si sentivano un po' Thelma e Louise over cinquanta, ma senza Brad Pitt. Le univano le coincidenze, il passato e un po' di cellulite, che però "fa donna verace", dicevano.

Arrivati a Golders Green, la Patti fece un piccolo sospiro. Ogni volta che tornava era come se facesse i conti con la propria esistenza, il senso del tempo, il suo tran tran apparentemente sempre uguale, anzi sempre peggio, anche se fingeva che tutto andasse bene.

In realtà, rideva della sua potenziale ricchezza, cosa che suo marito non trovava mai divertente. "Allora convinci tua zia a mollare sui conti correnti" gli gridava lei, per sentirsi subito dire che era attaccata alle cose terrene.

Quando finalmente rivide il cipresso con il nano senza braccio, Samir le aprì la portiera, la salutò e le diede un bigliettino con il suo numero di cellulare: «Per qualsiasi cosa, mi telefoni qui... Patricia...».

Quando la chiamavano Patricia, la Patti sarebbe stata capace di regalarti la Casa Bianca. Per la gioia, non si rese conto che era ancora senza scarpe, per cui scese dall'auto a piedi nudi, come se fosse Jacqueline Kennedy a Capri. Nell'imbarazzo salutò Samir – ora alto quasi quanto lei – con un abbraccio.

Dopo essersi rimessa i tacchi per strada, la Patti si attaccò al citofono di Bernard per ritirare le chiavi, che lui consegnò con la solita educazione. Non le chiese se gradiva una tazza di tè perché l'ultima volta lei aveva accettato e gli aveva raccontato per filo e per segno della zia taccagna e del marito precario.

Quando finalmente la Patti riuscì ad aprire la porta senza scardinarla, trovò il tavolino apparecchiato con marmellate, muffin, pane a fette, succo d'arancia e yogurt. Un biglietto scritto a mano le diceva: "*Welcome*. Nel frigo trovi lo Chardonnay. Ornella".

6

A metà mattina la Patti si era già scolata mezza bottiglia di vino. Le era presa una strana euforia mista a malinconia, e aveva deciso di farsi un aperitivo. Così si era abbioccata sulle bozze dell'*Incubo di Ferragosto*. Era così sconcertata dalla nullità della storia che ogni tanto aveva degli strani rigurgiti, anche se più probabilmente si trattava del vino. Fu lì che Ornella la chiamò.

«Quindi non possiamo pranzare insieme a merluzzo fritto e colesterolo?»

«No, baby... io devo mandare le mie note nel pomeriggio.»

Mentre parlava al telefono, Ornella si sparò qualche goccia di Ansiolin sotto gli occhi di un Lord inglese seguito da Clara.

«Ma allora quando ci vediamo?»

«Vengo da te in libreria appena ho finito, così usciamo insieme e mi racconti, che dici?»

«Dico oh yeah. Ora vado che c'è un tipo strano che mi guarda.»

Ornella sorrise al Lord esterrefatto mentre Clara gli consegnava una copia di *Mafia, amore e polizia*. Già sedata dall'Ansiolin, pensò di dire che di quello stesso genere era più divertente *Una sera con Mario il pizzaiolo*, che piaceva a tutti. Il cliente guardò Clara, che guardò Ornella, che guardò fuori per togliersi dall'imbarazzo. Sapeva perfettamente che non sarebbe dovuta intervenire, ma era stato più forte di lei.

Il Lord decise di pensarci, uscì senza comprare nulla e le due rimasero a guardarsi in cagnesco sotto gli occhi di Russell & Crowe. Ognuna pensava che la responsabilità fosse dell'altra e difficilmente si sarebbero convinte del contrario.

Ornella decise che era meglio prendersi una pausa e uscire. Se avesse potuto, avrebbe vissuto una vita fatta solo di pause. Vide Diego che dal barbiere stava accorciando le basette a una specie di santone. Lui si interruppe per salutarla, e lei ricambiò con un sorriso frettoloso, che gli provocò un momento di delusione. Pensava di aver trovato un'amica su cui contare, ma evidentemente in Inghilterra gli italiani diventano come gli inglesi: ognuno pensa solo per sé.

Ornella non fece molta attenzione neanche a Julie, che si sarebbe fermata volentieri a chiacchierare, ma lei desiderava parlare solo con la Patti, che però in quel momento non la voleva tra i piedi, e con Mr George, che chissà se era alla panchina. Con quel sole e quel cielo forse sì, ma non poteva averne la certezza. Si fermò da Wagamama e prese una porzione di yaki udon da portare via giusto per mettere qualcosa nello stomaco, e s'incamminò verso il parco.

In giro c'erano ragazze benestanti, signore con badanti, e i soliti "extraterrestri" con le cuffie e cardiofrequenzimetro, che Ornella non capiva mai bene a che ora iniziassero a lavorare. Allungò il passo e si addentrò nel verde.

Nella notte era piovuto e all'ombra il terreno era ancora molliccio, per cui molti avevano optato per altre passeggiate. Quando Ornella vide la collinetta dietro cui si nascondeva la sua panchina si sentì finalmente al sicuro. Le prese però un momento di sconforto appena notò che Mr George era sì seduto lì, ma accanto a lui c'era una signora che si stava limando le unghie.

"Non ti puoi sedere sulla mia panchina pensando di essere nel bagno di casa tua!" urlò dentro di sé Ornella. "Un posto tanto romantico e tu lo sciupi così, cafona!" Era fuori dalla grazia di

Dio, ma non poteva accampare nessun diritto per quel luogo a lei tanto caro. E non sapeva neppure come attirare l'attenzione di Mr George, che stava attaccato a *La nuvola di smog* come se non avesse mai letto un racconto.

Ornella si fermò a fissare l'intrusa, che contraccambiò con una sufficienza tale da umiliarla. "Be', tu non ti sei mai limata le unghie?" pareva dirle con aria di sfida spettacolarizzando ancora di più l'operazione. Sembrava partecipasse a una gara di manicure. Ornella fece avanti e indietro un paio di volte fissandola con occhi pieni di odio, rischiando di essere scambiata per una lesbo-stalker.

Andò a sedersi su una panchina un po' più in basso, dove non batteva il sole e si vedeva a malapena il bosco. Tirò fuori la confezione con gli udon, li aprì sul grembo e iniziò a mangiare cercando di non imbrattarsi. L'abito a fiori s'intonava perfettamente a quell'angolo selvaggio. Il cibo la distrasse dai suoi pensieri e l'odore di terra bagnata la fece sentire meno sola. Sapere che la Patti stava lavorando a casa sua, poi, la tranquillizzò. Le tornò in mente la prima volta che l'aveva vista, con quei jeans stretti e gli occhi blu. Le aveva suscitato immediatamente un unico pensiero nella testa: "Tu mi salverai".

Per questo nei momenti difficili la voleva accanto a sé. Per lei la Patti era un incrocio tra una mamma, un'amante e una nonna. A volte anche una suocera.

Ornella posò le bacchette e iniziò a grattarsi insistentemente un gomito, facendosi venire il sospetto di essere davvero intollerante a qualche spezia. Per non pensarci, intonò "E guardo il mondo da un oblò" di Gianni Togni a un volume abbastanza alto da farsi sentire dai passanti.

La signora che si limava le unghie intanto se n'era andata, così lei balzò in piedi bruscamente facendo cadere ciò che restava degli udon, come se tutti nel parco sgomitassero per sedersi di fianco a quel vecchietto. Le sue imprecazioni fecero alzare la testa a Mr George, che la vide proprio quando non avrebbe dovuto, con tutti quegli spaghettoni addosso. Lei gli si avvicinò sempre più imbarazzata.

«Come sta oggi, Ornella?»

«Ora che la vedo, meglio. Avevo proprio bisogno di ringraziarla, lei è il mio guru.»

«No, la prego, non mi chiami guru che mi offendo. Quelli sono dei cialtroni. Io vedo solo un po' più in là del mio naso perché non si tratta della mia vita.»

Ornella aveva sempre avuto un debole per i guru, ma non osò dirglielo.

«Grazie comunque, Mr George. Ho deciso di fare venire qui la Patti per aiutarmi a risolvere questo problema che mi angoscia...»

«Ha fatto bene. Da soli si commettono tante sciocchezze. La Patti è quella che quando lei l'ha vista la prima volta ha detto che era una bella gnocca?»

«Più o meno... ma ho detto proprio così?»

«Certo, mi aveva anche spiegato cosa significa "bella gnocca"... E cosa le ha consigliato per la libreria?»

«Non lo so perché non l'ho ancora vista, fino a stasera è a casa mia a lavorare.»

Mr George rise di gusto e quasi si sorprese, perché non era abituato a fare così rumore.

«Be', bell'aiuto che le sta dando!»

«No, invece è importante, lei per me è come una sorella.»

Ornella non aveva voglia di elencargli tutte le altre possibili varianti di parentela.

«Mia sorella non si sarebbe mai comportata così, anche se io forse non avrei mai avuto il coraggio di chiamarla.»

«Di quale coraggio parla? Lei ha fatto la guerra.»

«Ho fatto la guerra perché mi hanno costretto. Mentre lei, le sue battaglie se le è combattute da sola. E sono contento che segua i miei consigli... mi fa sentire utile.»

Mr George fu tentato di farle una carezza, ma restò aggrappato al suo libro.

«Io devo andare, Mr George, Clara è già molto nervosa e ora che arriverà la Patti rischia di esplodere... lo sento.»

«Mi può ripetere per l'ennesima volta chi è che comanda in libreria?»

«Sarei io.»

«Bene, vedo che se lo ricorda. Allora deve prendersi le sue responsabilità. È lei che dirige ed è lei che porterà la nave nel porto... come si dice in italiano?»

«Ah, non lo so, non mi intendo di navi.»

«Vabbè, il senso le è chiaro. L'aspetto qui nei prossimi giorni... perché voglio sapere cosa le consiglierà la sua amica. Cos'ha di così speciale per lei?»

«Abbiamo lo stesso cuore e lo stesso numero di scarpe.»

«Ma "la Patti" con l'articolo?»

«Sa, è di Milano... a Milano si usa così.»

Ornella si alzò piuttosto in fretta per non fargli vedere il vestito macchiato dagli udon. Mr George le disse un *goodbye* molto composto e riprese a leggere Calvino come se nulla fosse.

7

La Patti entrò in libreria come se fosse in una boutique. L'aria seria, la borsetta portata alla milanese, o meglio alla newyorkese, insomma in quel modo che hanno le donne per farsi venire il gomito del tennista. La prima persona che incontrò, malauguratamente, fu Clara, che la salutò con una stretta di mano, che lei interpretava ogni volta come un segno di inimicizia. Per rompere il ghiaccio, la Patti le chiese "come va?", mentre sperava che Ornella si materializzasse al più presto. L'altra le rispose che il gatto non stava bene e la situazione in libreria era così disastrosa che difficilmente sarebbe potuta andare peggio. Era ancora arrabbiata per il cliente che era uscito senza acquistare *Mafia, amore e polizia* e questo le aveva rovinato la giornata. La Patti invece moriva dal desiderio di sapere come le stavano le scarpe nuove di cui non era ancora del tutto convinta, e che iniziavano a farle male.

Appena Ornella comparve, Clara andò via disgustata. Voleva evitare quelle scenette strappacuore che aveva visto troppe volte, e a cui non riusciva ad abituarsi. Così le due amiche aspettarono di essere sole prima di abbracciarsi, e ancora una volta la Patti tenne a bada la commozione per non sciuparsi il trucco.

«Sei sempre la più bella donna che abbia mai incontrato.»

«Anche se sono grassa e povera?»

«Ma non sei povera, Patti! Tra un po' erediterai una fortuna!»
«Quindi stai dicendo che sono grassa?»
«Oddio, no. Non sto dicendo niente.»
«Ormai l'hai detto.»
Ornella cercò di farsi perdonare girando intorno all'amica con ammirazione. Non trovava mai le parole giuste per farle i complimenti: quando diceva la giacca, avrebbe dovuto dire le scarpe. Se le scappava "che bella borsa" l'altra le ricordava che era un regalo suo. Così cercava sempre di essere generica.
«È bello vedere che non sei cambiata.»
«*Darling*, ci siamo viste un mese fa.»
«Oddio, è vero! Come sta la zia Lucrezia?»
«Come vuoi che stia? Io quando mi ricordo di fare i controlli ho sempre qualche valore sballato. Alla cariatide le hanno fatto l'elettrocardiogramma e le hanno detto che ha il cuore di una cinquantenne.»
«Ma la cariatide è ancora intenzionata a tenersi il malloppo?»
Lei e la Patti avevano soprannominato la zia "la cariatide" perché stava sempre lì aggrappata al suo patrimonio.
«Certo. Dice che lei è stata povera fino a cinquant'anni ed è quello che le ha insegnato a vivere. E noi siamo terrorizzati che intesti tutto alla Chiesa!»
«Tuo marito che dice?»
«Dice che chi è povero muore povero. Lo sai, non è proprio *Braveheart*. Ma dimmi tu piuttosto: che succede, Orni?»
Ornella vide i libri intorno a sé e desiderò abbracciarli tutti con la musica di *Ghost*. Ma non aveva voglia di parlare del loro destino in quel momento, per cui non rispose. Cercò invece di dare una parvenza di ordine sugli scaffali, visto che era già ora di chiudere il negozio. Ci mise eccezionalmente solo dodici minuti, gli stessi che la Patti aveva impiegato per scegliere cosa mettersi. Per lei, Londra era un'eterna domenica in cui bisogna essere vestiti bene.

Quando le due amiche uscirono, Diego era seduto fuori e sembrava aspettarle, come i bambini davanti a una vetrina di giocattoli. Non fumava ma sorrideva. La Patti lo vide e si dimenticò subito di Samir. Si aggiustò il vestito e si sentì incredibilmente fiera delle sue scarpe scomode ma sensualissime. Lui aveva tutto ciò che la Patty trovava sexy in un uomo: i capelli ricci, il petto disegnato e i denti bianchi.

Amava i ragazzi giovani e in un paio di occasioni aveva ceduto alle avances del suo personal trainer, che aveva un debole per le donne mature.

Lei si era poi sentita così in colpa con suo marito che aveva smesso di andare in palestra.

Diego la vide avvicinarsi e si mise nella posa del guerriero partenopeo di cui aveva il copyright: braccia conserte, schiena dritta e mento in avanti.

«Ma quest'altra guagliuncella è pure lei italiana o è parigina?»

La Patti tornò a sentirsi la modella che sfilava durante l'università.

«Diciamo *fifty-fifty*. Veramente sono italiana, ma ho studiato a Parigi. E tu sei di Napoli?»

«Si sente assai?»

«Hai un accento lievemente marcato.»

Lui non capì se la Patti stesse scherzando, ma non gliene importava: era fiero del nome che portava in omaggio a Maradona. Era nato lo stesso anno del mitico scudetto della sua squadra del cuore e mamma Rosa non aveva avuto dubbi: il bambino si chiamerà accussì. Ornella intanto aveva fatto un passo indietro per lasciarli parlare, e Diego ricercò subito la sua attenzione.

«Oggi non so se bastano le bollicine per tirarti su l'umore, eh signora?»

«Be', se chiami la mia amica "guagliuncella" e a me oggi dai della "signora" non migliori la situazione.»

«Ecchenesò, prima mi hai salutato così freddamente che pensavo preferissi mantenere le distanze.»

«Ma io non ce l'avevo con te!»

La Patti osservava la sua amica e riconobbe il tono di quando era contenta. Pensò che la bellezza di Diego facesse diventare tutti più espansivi.

«E tu, guagliuncello, che facevi in Italia?»

«Il ragioniere per una cooperativa, e ora faccio il barbiere part-time.»

«Però, che carriera.»

«C'aggia fa'... Ho dovuto decidere in fretta, ma a volte hai giusto il tempo di prendere e partire.»

«Sei pentito?»

«Macché. Quando scappi non ti devi mai pentire.»

Il motivo della fuga si chiamava Carmine, ma non poteva dirlo. Era un amico della sua ragazza, fidanzato anche lui, e alla fine, senza volerlo, Diego se ne era innamorato. Si vedevano clandestinamente a fine serata, dopo aver riaccompagnato le ragazze a casa dal cinema o da una pizza da 50 Kalò. La doppia vita li elettrizzava, ma mentre per Carmine era un gioco, Diego aveva iniziato a prenderla sul serio.

La sua fidanzata aveva intuito e lo aveva lasciato. Ma appena fu libero e solo davanti alla sua ossessione, Diego decise di scappare. Carmine aveva iniziato a essere meno presente, a defilarsi, a intuire che non era più solo divertimento: un *pezzente salito* non poteva permettersi dubbi sulla propria virilità.

I problemi della cooperativa erano solo una scusa e Diego ci si era aggrappato per togliersi da quella situazione: Londra gli era sembrata l'unica via d'uscita.

Perso nei suoi pensieri, si rese conto che stava ostruendo il passaggio della via, mentre Ornella e la Patti lo guardavano con occhi materni.

«Aggio capit', volete parlare un po' e forse sono di troppo...»

«Stiamo andando alla Burgh House a fare due chiacchiere. Se ti va ci raggiungi dopo, così ce la tiriamo un po'. Sarai il nostro Brad Pitt.»

«E ja' mi fa piacere! Tengo ancora un cliente e arrivo.»

Diego non aveva la più pallida idea di dove fosse la Burgh House ma era convinto che l'avrebbe trovata.

Finalmente sole, lontano dai libri e dall'emozione, Ornella e la Patti si accomodarono al tavolino di un cortile dove la vita scorreva più lenta, e anche le cameriere parevano non avere fretta. A quell'ora non c'erano molti clienti, che lo frequentavano soprattutto nel pomeriggio, all'ombra dei rampicanti. Ogni tanto le due amiche si toccavano le braccia, per essere sicure di avercela fatta a vedersi in meno di ventiquattr'ore.

«Innanzitutto dimmi se sei riuscita a finire *Incubo di Ferragosto.*»

«Sì, anche se ho avuto qualche problema di stomaco. Sai che a me i libri brutti fanno proprio stare male fisicamente...»

«Non avrai mica rovinato il tappeto anche a me?»

«No, tranquilla. Ho invece avuto qualche problema a spedire il documento, così sono tornata a bussare a Bernard per il wi-fi.»

«Cioè sei entrata in casa sua?»

«Certo, devi vedere che casa.»

«Ci sono stata solo una volta e poi ci siamo sempre parlati sulla porta.»

«Fai male. Quell'uomo lo devi tenere d'occhio, anche se so che gli uomini non ti interessano.»

«La vuoi piantare?»

«Ah, è vero che sei ancora sposata...»

L'unico modo che la Patti aveva per affrontare quel discorso era provare a scherzarci sopra, ma Ornella era abilissima nel cambiare argomento.

«Dài, che non è il momento. E poi secondo me è gay.»

«A me non pare. Ride forte?»

«No.»

«Ascolta Nina Simone o Barbra Streisand?»

«Solo jazz, mi pare.»

«Il jazz va bene. Esce sempre come se avesse i paparazzi davanti a casa?»

Ornella scoppiò a ridere e si chiese come mai non potesse vivere tutta la vita con la Patti al suo fianco.

«Ho capito, Patti... non è gay, mi hai convinta. Possiamo parlare della libreria, adesso?»

«Sono volata qui per questo.»

Il discorso cominciò con qualche minuto di ritardo perché Ornella voleva evitare di piangere e aveva bisogno di concentrazione. Si aiutò con un brindisi e si aggrappò a una ciotolina di pistacchi: sbucciarli la rilassava.

Finalmente spiegò la situazione in modo piuttosto lucido. La Patti, al primo "purtroppo", la fermò e la fece ricominciare. Detestava quella parola. Poi tirò fuori un taccuino e cominciò a scrivere. Aveva preso la questione seriamente, anche se ogni tanto controllava come le stavano le scarpe e in cuor suo pensava: "Forse dovevo prenderle bordeaux". Ma era il suo modo per essere meno tesa.

«Quindi Mr Spacey vi ha dato un ultimatum.»

«Sì, ha detto proprio: "Due mesi e decido".»

«Magari ha già deciso.»

«È quello che sostiene Clara, e se tu e Clara pensate allo stesso modo non può che finire male.»

La Patti allontanò le mani di Ornella dai pistacchi e le prese tra le sue.

«Ti ricordi qual è stato il nostro mantra per tanti anni?»

«Certo: "Non può finire così".»

«Ecco, non dimenticarti questa frase proprio adesso...»

«Il problema però è che da quando Mr Spacey ce l'ha comunicato le cose sono peggiorate.»

«E quando c'è stato l'annuncio?»

«Ieri mattina.»

«Ma sono solo due giorni, Ornella! Sempre la vittima devi fare, mamma mia!»

«Tu lo sai che senza la libreria io sono fregata. Dove vado a sbattere la testa alla mia età?»

La Patti le fece cenno di abbassare la voce.

«Alla mia età! Questa frase non devi dirla mai più. *Never ever*, chiaro? Non c'è una scadenza nella vita, finché hai le forze!»

«Quindi, cosa sono io adesso?»

«Tu sei una donna e basta, e io pure. Solo perché non ci siamo rifatte non vuol dire che siamo sfatte.»

«Certo che no. È inutile sembrare più giovani se tutti ti ridono alle spalle.»

«Esatto: io dico no al botulino. E alle punturine.»

«No punturine. No botulino. No filler.»

«Da quando conosci i filler, Ornella?»

«Una mia cliente vorrebbe che li provassi. Mi dice sempre: "È un attimo".»

La Patti non commentò. Semplicemente la fulminò prima di proseguire.

«Torniamo a parlare di libri, va'... Ora ti chiedo: perché secondo te se ne vendono meno?»

«Bella domanda.»

«Allora prova a dare una bella risposta.»

«Be', un po' dipende dal fatto che la gente sta sempre attaccata al telefono... come se il telefono contenesse le risposte a tutto. E poi c'è Amazon.»

«Altre ragioni?»

Ornella pensò a com'era cambiata la libreria in quegli anni, a parte l'arrivo dei pesci rossi.

«Forse qui i clienti non si sentono più a casa come un tempo. La nostra libreria è sempre stata la più amata dagli italiani, come la Scavolini...»

«Ma non era la Cuccarini?»

«Non mi sembra importante, Patti! Il fatto è che ora è come se non avessero più bisogno di questa casa.»

La Patti prendeva appunti e faceva strani disegni di cui non era sicura nemmeno lei. Era sempre stato un suo sogno scrivere e deliberare, come fanno i medici, gli architetti o gli avvocati. In realtà aveva bisogno di prendere tempo. Loro due avevano vinto battaglie ben più difficili e quella sicuramente non le avrebbe spaventate.

Diego entrò nella Burgh House in quel momento, senza specificare quanto ci aveva messo a trovarla. Regalò loro uno sguardo così rassicurante che entrambe si rilassarono.

«Ue', ma qua mi pare che sta scarseggiando tutto, pure i pistacchi. Aspettatemi che torno subito!»

E come si avvicinò al banco per prendere nuovi calici, la Patti ebbe un'illuminazione.

«La soluzione è lui.»

«Brad Pitt?»

«Certo. Assumilo, anche solo per due mesi.»

«Più a lungo non sarebbe possibile. Comunque non abbiamo più soldi...»

«Li troviamo.»

«Ma è un ragioniere.»

«Meglio ancora, non c'entra niente e fa quadrare i conti, che mi sembra un'ottima cosa. È bello, è un ragioniere ed è napoletano. E anche lui è fuggito qui come te.»

«Sì, ma dice che non parla un inglese perfetto.»

«Sarà la sua arma vincente. E la sua presenza allenterà anche la tensione tra te e Clara. La famiglia, ti ricordi? Nella famiglia un maschio ci sta sempre bene. È vero uaglio'?»

Diego arrivò in quel momento con i bicchieri di prosecco e si rese conto che stavano parlando di lui.

8

Le notizie più belle ti arrivano quando credi di avere perso tutto.

Diego era in una fase di profonda frustrazione, umana e sentimentale, per cui la richiesta di Ornella fu un'iniezione di autostima. E vedere due donne pendere dalle sue labbra gli diede la sensazione che Londra non ce l'avesse veramente con lui. Si mise comodo sulla sedia e cercò di ascoltare con attenzione.

Buttarsi in una nuova avventura non gli avrebbe dato il tempo di pensare a Carmine. Ogni tanto gli passava per la testa mentre sfoltiva una barba a qualche *sir*, rischiando di tagliarlo con la lametta. Ma suo nonno gli ripeteva sempre: "Uaglio', quando tagli la barba devi avere un solo pensiero: la barba".

Purtroppo gli veniva in mente sempre e solo Carmine.

Ornella era frastornata ma contenta. Era seduta davanti a una ciotola di pistacchi e guardava ora la Patti, ora Diego. Lei non avrebbe mai rischiato di assumere qualcuno in una situazione così difficile, ma se la Patti le diceva "Buttati!" chiudeva gli occhi e si lanciava. Questo atteggiamento era reciproco. E se si accorgevano che stavano diventando patetiche, trovavano subito il modo di punzecchiarsi e riderci su.

Dopo aver convinto Diego ad accettare quell'offerta – e non fu molto difficile – la Patti preferì togliere il disturbo, anche se avrebbe voluto stare ancora un po' con il guerriero partenopeo.

Desiderava che Ornella se la cavasse da sola, per cui millantò che doveva andare a fare meditazione.

L'aria era sempre più fresca e il silenzio nella via faceva risuonare i suoi tacchi. Più che una passeggiata, sembrava una via crucis. I piedi le facevano male, ma era una sofferenza necessaria: una giornata a Londra dava alla Patti la sensazione di avere sempre gli occhi su di sé. Sicuramente, anche se in giro non c'era nessuno, la stavano spiando dalle finestre.

Rimasti soli, Ornella e Diego si sentirono a corto di argomenti e si attaccarono ai pistacchi.

«Innanzitutto volevo ringraziarti, Diego... Ieri ho detto per la prima volta che sono intollerante all'origano e da Paul's si sono prodigati a controllare gli ingredienti. Non mi avevano mai trattata così.»

«Hai visto? Viva l'intolleranza! Quindi sei sicura che posso darvi una mano in negozio?»

«Non è un negozio, è una libreria.»

«Comunque sempre di negoziazione si tratta, sempre cassa devi fare, Orne'.»

Lei lo guardò e capì che la Patti aveva ragione.

«Lo sai qual è la prima dote di un libraio?»

«La conoscenza.»

«Quella viene dopo. La cosa più importante sono le braccia, perché i libri pesano. Fai sentire qui...»

Diego non vedeva l'ora di tendere il bicipite e mostrare la polpetta sotto la camicia.

«Bene, le braccia ci sono. Poi ci vuole la pazienza, tanta, e l'intuito. Perché con i lettori oggi non puoi sbagliare. È un attimo e non tornano più.»

«Ma il fatto che io abbia letto poco secondo te è grave?»

«Sì.»

«E come facciamo?»

«Ci pensiamo domani. L'importante è sorridere con gli italiani ed essere gentili con gli inglesi. Loro amano la cortesia e quel tocco esotico di Italia, ma senza esagerare...»

«Tipo?»

«Tipo non ti mettere a fare domande sulla loro vita privata.»

«Eh ma io devo migliorare l'inglese. Se devo stare muto tanto vale che continuo a tagliare la barba e i capelli tutto il giorno.»

«Se questo è il tuo atteggiamento, non venire. Nessuno ti obbliga. La prima regola è conoscere le regole e rispettarle.»

Diego restò piuttosto impressionato da quel tono di voce. Abbassò la testa sussurrando un "Aggio capit'" con la coda tra le gambe.

«Dimenticavo... sii paziente con Clara. Lei è un po' particolare, e parla solo del gatto.»

«Ah, ma io sono allergico ai gatti. Ma veramente!»

«Oddio, che disgrazia. Non dirglielo!»

«Vabbuò, vabbuò, Ornella... rilassati. Comunque tu non ci crederai ma avevo proprio bisogno di questo.»

«Di cosa?»

«Di sentirmi considerato. Quando sei solo, pensi che tutti si siano dimenticati di te.»

Diego per un attimo fu tentato di aprirsi, ma poi riprese subito il controllo spalancando un sorriso. Ornella fece finta di credergli e non gli chiese altro. Ripensò al giorno in cui anche lei, per la prima volta, non si era sentita una nullità: fu quando la Patti aveva voluto conoscerla.

La confessione di Diego l'aveva resa euforica. La libreria avrebbe continuato a vivere, si disse, e anche se fossero stati gli ultimi due mesi, avrebbero chiuso in bellezza con un gesto eroico: assumendo qualcuno.

Fu un accordo molto meridionale, il loro, fatto di parole dette più che scritte, ma quando si rischia ci si deve fidare. Diego tirò fuori il ragioniere che era in lui e cominciò a fare domande cui Ornella non sapeva rispondere: quante copie ordinavano per ogni libro? Quali erano i margini di guadagno? Ornella si sentiva come uno di quei concorrenti dei quiz tv che per l'emozione sbagliano le domande più elementari. Gli diede appuntamento per il pomeriggio seguente. In quel momento aveva bisogno di stare sola.

A casa, però, c'era la Patti, quindi pensò di fare una passeggiata al parco, ma a quell'ora era così buio che probabilmente l'avrebbero sgozzata se si fosse avventurata nelle sue stradine. Una volta aveva vagato per ore prima di sbucare al laghetto frequentato da soli uomini, e tutti l'avevano scambiata per una travestita.

Così cambiò idea perché non poteva morire proprio quella sera, e fece quattro passi nelle vie del quartiere.

Dall'altra parte della strada un uomo la fissava, sorridendole, e lei era convinta che fosse giunta la sua ora. Invece era solo Bernard, il suo vicino di casa.

«Come stai, Ornella?» le chiese avvicinandosi, e lei si sentì scoperta in un momento di intimità.

«Oh, che sorpresa. Sono venuta a fare un giro prima di rientrare. Tu stai passeggiando per digerire?»

«No, a dir la verità non ho ancora cenato... Stavo finendo di scrivere un documento, ma la tua amica cantava così forte l'opera che non riuscivo a stare concentrato.»

«Ma chi, la Patti? Se canta *La Bohème* vuol dire che è ubriaca... cantava *La Bohème*?»

«Non lo so, non m'intendo di opera.»

Ornella pensò che un uomo gay di quell'età ne dovesse sapere per forza. Quindi non poteva esserlo.

«Perdonala, Bernard. Ma perché non sei andato a bussarle?»

«Ci ho provato, ma continuava a cantare.»

«Penserai che siamo le solite ubriacone.»

«Chi non lo è? Ma mi piacete anche per quello.»

«Be', grazie tante.»

Bernard si rese conto di aver fatto una gaffe e provò a rimediare.

«No... intendevo che noi quando beviamo diventiamo molesti, non allegri.»

Un inglese che faceva autocritica non lo aveva ancora incontrato. O magari, cosa più probabile, Ornella non aveva capito la battuta. Tanto per non farsi mancare niente, aveva anche la sindrome dell'incompresa.

Tornarono insieme verso le loro case mentre lei cercava di rallentare, perché sapeva che, dopo un po' che cantava "Sì, mi chiamano Mimì", la Patti cadeva in catalessi. Quando arrivarono a destinazione, il silenzio sembrava regnare, anche se la casa di Ornella era illuminata a giorno, con le finestre spalancate.

Dopo un attimo ricominciò di nuovo la musica, e la Patti tornò sul palco.

I due scoppiarono a ridere.

«Scusa, Bernard. Vado a fermarla.»

«Evidentemente deve sfogare qualcosa.»

«No, credo che sia la menopausa. Le vampate di calore la rendono isterica. Provo almeno a chiudere le finestre.»

«Che ne dici se ci facciamo un bicchiere di cherry qui fuori? Così tieni d'occhio la tua amica e se ha bisogno sei a portata di mano.»

Ornella ebbe un momento di titubanza. Ma lui la guardava in modo così paziente che decise di accettare. Poi sempre meglio un bicchiere di cherry con il vicino che affrontare la Patti riposseduta da Mimì.

Bernard sgattaiolò in casa e tornò con un vassoio d'argento, una bottiglia di cherry e due bicchieri. Ornella cambiò di nuovo idea su di lui: "È gay". Il vassoio d'argento con i bicchieri anni Cinquanta era una prova quasi schiacciante, che la tranquillizzò. Quindi si lasciò andare a qualche chiacchiera in relax.

Parlarono del vicinato, soprattutto. In particolare del signore insospettabile che riceveva le ragazze dell'Est e poi le fotografava in giardino vestite da majorette. Tutti e due si erano ritrovati a spiarlo e questo li fece sentire un po' complici.

«Tu non ti senti mai sola?»

La domanda colse Ornella così alla sprovvista che le andò il liquore di traverso. Ci pensò su. Per fortuna la Patti fece una variante piuttosto comica con la voce che li distrasse un attimo.

«Ora non più. Sono stata sola per anni, anche se ero sempre circondata da persone. Una, soprattutto.»

«E ora questa persona non c'è più?»

«C'è ancora. Non so ancora per quanto, ma c'è. Si tratta di mio marito.»

La conversazione cambiò tono e Ornella stessa si sorprese di averlo detto. Erano anni che non pronunciava quelle parole. Bernard capì che era una questione delicata e cercò di sorvolare.

«Scusami, non volevo farti intristire.»

«Non mi hai intristito. Mi hai dimostrato che ci sono ancora... e a volte me lo dimentico.»

Si guardarono e lasciarono passare quel momento commentando la qualità del cherry. Ornella, a dire il vero, era la prima volta che lo beveva. E probabilmente sarebbe stata anche l'ultima.

«Credo che la tua amica si sia addormentata.»

Il silenzio era improvvisamente piombato sulla via. Ornella ne approfittò per lasciare il bicchiere e rientrare in casa.

9

La Patti si era addormentata sul divano con addosso le orecchie di Topolino.

Ornella non sapeva dove le avesse trovate, e cosa c'entrassero con *La Bohème* eseguita fino a poco prima, ma la sua amica viveva perennemente su un palco immaginario, finendo poi sempre per spegnersi di colpo. E ora era lì, un po' Mimì a fine serata, la bocca semiaperta che se si fosse vista avrebbe preso di nuovo i barbiturici, come aveva fatto in passato, prima di incontrare Ornella. L'aveva salvata la vicina di casa che aveva sentito puzza di gas che lei, per non sbagliare, aveva acceso prima di prendere le pillole. Quando si era ritrovata in un letto di ospedale con la flebo al braccio, aveva avuto una crisi isterica e per mesi non aveva più rivolto la parola a nessuno del suo condominio. Protesta che era passata del tutto inosservata facendola sprofondare in un'ulteriore depressione.

La Patti si svegliò di soprassalto e, quando vide gli occhi di Ornella a un palmo da sé, fece un acuto così forte che Bernard, da casa sua, pensò fosse il momento dei bis.

«Patti, stai calma, Patti... sono io... Ornella.»

«Ah, sei tu... meno male. È successa una cosa terribile. Cioè all'inizio mi sembrava una bella notizia e ora invece mi sembra una cosa tremenda.»

«Hai preso un altro chilo?»
«No... peggio.»
«Hai lasciato a Milano un paio di scarpe?»
«No, credo di averle portate tutte. Si tratta della zia Lucrezia... si è sentita male e l'hanno ricoverata in ospedale. Arresto cardiaco... non sanno se supererà la notte.»
Ornella si sentì una stupida ad aver fatto battute inopportune, ma la Patti usava lo stesso registro drammatico anche per le piccole questioni. A lei era sempre stata simpatica la cariatide, anche se l'aveva vista solo in foto, ed era sicura che quell'attaccamento ai beni materiali nascondesse carenze di affetto e forse anche di ferro: essere deboli fisicamente rende tutti più egoisti. Per cui aveva sempre osteggiato i malauguri della sua amica che fantasticava sul "malloppo" che avrebbero ereditato: il sogno della Patti era affittare un jet privato per andare finalmente insieme alle Maldive, che poi a Ornella il mare troppo trasparente faceva impressione.
«Anche tu ti senti in colpa come me?»
«Mah, veramente io non ho mai augurato la morte a quella povera crista... tra l'altro, la casa dove abiti è sua. La credenza del Settecento è sua. Non mi pare che vi abbia trattato proprio così male.»
Davanti alla credenza del Settecento, la Patti ebbe un attacco di pianto, come nei momenti clou dei reality quando portano al concorrente la lettera della moglie lontana. Per fortuna Ornella era lì, con la sua capacità di trovare il lato positivo anche negli errori.
Dopo un'ora già fantasticavano su come gestire l'eredità. A Ornella sembrava prematuro esprimere qualsiasi desiderio, per rispetto della zia. La Patti invece, dopo le Maldive, sognava di fare insieme il world shopping tour, da Sydney a Los Angeles, in cui avrebbero comprato solo scarpe. Certo non aveva ancora messo in conto suo marito Adolfo, che lei raramente includeva nei festeggiamenti. Ma potevano partire separatamente

e incontrarsi a Parigi, dove erano stati in luna di miele. Prima, però, la Patti doveva salvare la faccia e correre al capezzale della povera cariatide.

«Devo partire domani, Ornella.»

«Ma domani i voli costano troppo. C'è solo la British...»

«Forse non hai capito che d'ora in avanti possiamo permetterci anche la business class.»

«La business sui voli brevi è proprio da parvenu.»

«Ho sempre sognato di essere una parvenu.»

«Be', quello anch'io.»

Così sostituirono la tisana con un passito che era lì da due mesi, un record. Bernard, nel frattempo, si era accorto che le due avevano chiuso le finestre e un po' gli dispiacque non sapere più cosa stesse succedendo.

«Quindi sei appena arrivata e già parti.»

«Sì, Orni... ho chiesto a Adolfo di prendermi il biglietto.»

«E come farò in libreria senza di te?»

«Hai Diego e hai il mio numero di telefono.»

«Ma io non ti voglio disturbare in un momento così.»

«Ti ricordi cosa ci siamo dette quella volta in Toscana? Se ci salviamo, ci salviamo insieme. Siamo due anime gemelle io e te, vero?»

«Più o meno... sì.»

«E tu sei l'unica persona con cui io sento di condividere tutto.»

Il tono del discorso strideva con le orecchie di Topolino che la Patti continuava a indossare, e a Ornella venne un nuovo attacco di riso.

«Ma mi spieghi perché per cantare *La Bohème* ti sei messa il cerchietto del carnevale di Notting Hill?»

«Come fai a sapere che cantavo *La Bohème*?»

«Ero fuori con Bernard a bere cherry e ti abbiamo ascoltato...»

«Cioè, tu eri fuori con Bernard mentre io deliravo e non mi hai fermata?»

«A me un po' piace quando canti... sei... sei... particolare.»
«Sì, vabbè... ma quindi vi siete visti senza di me?»
«Ma no. Ci siamo trovati a fare due passi e abbiamo bevuto un bicchiere tra vicini di casa... ed è stato... strano.»
«Se è stato strano vuol dire che un po' ti piace.»
«Sai che sono una donna impegnata.»
«Non sei impegnata, sei solo impegnativa.»
Ornella cercò di cambiare discorso, ma non ci riuscì. Pensò a suo marito Axel che non vedeva da anni e che forse non le mancava più, anche se non lo aveva dimenticato. Ogni tanto si faceva vivo per chiederle soldi, o consigli, e lei era sempre pronta ad ascoltarlo come una crocerossina. Lui era l'unico argomento di cui faceva fatica a parlare con la Patti, che intanto aveva tolto le orecchie di Topolino e aveva iniziato a sistemare le sue scarpe.
Ornella cercò di aiutarla con la lentezza di quando non vuoi che qualcuno vada via. Le chiese se poteva dormire in camera sua, anziché nella stanzetta che le aveva già preparato con tanto di tulipani freschi. La Patti accettò subito, perché anche lei aveva bisogno dello stesso calore.
Stettero sveglie per ore, cercando di ricordare come erano vestite la prima volta che si erano incontrate. La Patti era convinta di avere un abitino giallo, mentre la sua amica sosteneva che fosse in jeans. Di come era vestita Ornella nessuna delle due aveva memoria.
Verso le due avevano ancora gli occhi così a palla che rimaneva solo una soluzione: l'Ansiolin. Ornella lo cercò prima in tasca, poi in borsa, nella scarpiera, lo cercò perfino nel cestello della lavatrice. Doveva averlo dimenticato in libreria. Quando tornò in camera, vide che la Patti aveva tra le mani un acquerello di Axel. Era sul comodino tra le pagine di Jane Austen.
«Lo sai, vero, che tuo marito chiede ancora di te?»
La Patti aveva trovato il coraggio di dirglielo solo grazie a quel disegno.

«Chi te l'ha detto? Sono mesi che non si fa vivo. Ho provato a cercarlo un paio di volte ma il telefono era sempre staccato.»

«Sua sorella. Dice che non sta molto bene... E le ho promesso che te lo avrei detto.»

Ornella avrebbe voluto non una, ma due boccette di Ansiolin.

«Quindi sta molto male?»

«Non lo so esattamente, però è meglio se ti fai viva.»

Le parole pronunciate di notte sembrano sempre più vicine alla verità.

«Non me la sento di vederlo ora. E tornare a Verona sarebbe troppo doloroso...»

«Ma finché tu non chiudi il conto con lui, non potrai fare a meno degli ansiolitici. Ci hai messo vent'anni a non morire, non puoi mollare tutto adesso.»

«Ora devo pensare alla libreria.»

«Sì, ma per la libreria hai ancora due mesi. Pensaci.»

«Sono sempre arrivata in ritardo, ormai sono abituata.»

Non si dissero più niente. Restarono insieme a guardare il soffitto facendo finta di dormire, ma nessuna delle due riuscì più a prendere sonno, né a parlare.

10

Samir arrivò con il suo minicab alle sette e mezzo del mattino. Posteggiò davanti al cipresso in attesa della Patti, che era al telefono a consolare il marito dopo la notte in ospedale accanto alla cariatide intubata.

Ornella aveva cercato di non farsi prendere dalla tristezza e, per dare la carica alla sua amica, si era messa a preparare un uovo strapazzato che sembrava cibo per cani. La Patti lo aveva lasciato con una scusa e aveva ribadito che era pronta a tornare dopo i funerali per discutere del loro futuro. Se Ornella era attratta dalle piccole cose, la sua amica amava i massimi sistemi.

«Non mi pare il momento di fare questi discorsi, Patti. Te lo ripeto: tua zia è gravissima, ma è ancora viva.»

«Pensa se ha davvero intestato tutto alla Chiesa, che sulle case non paga neanche l'Ici!»

«Speriamo di no, dài. Ricorda: "Non può finire male".»

«Andremo all'inferno di sicuro, vero?»

«Sì, ma noi all'inferno ci siamo già state... e ci hanno cacciato pure da lì.»

La Patti la guardò con l'aria di chi non vuole più scherzare.

«Non aspettare troppo ad andare da Axel. Io so dov'è ricoverato e ti posso accompagnare quando vuoi.»

«La mia vita ora è la libreria.»

«La vita è un puzzle, Ornella. Non sarai mai serena se ti mancano dei pezzi. Adesso vado altrimenti Samir pensa che me la stia tirando... ho messo anche le ballerine. A proposito, hai visto com'è figo oggi in divisa?»

«Piantala, e vai.»

Prima di andare, la Patti riprese in mano le orecchie di Topolino.

«Ah, dimenticavo: salutamelo.»

«Chi?»

«Il tuo vicino. Vedrai che domani scatta l'invito a cena.»

«Ti ho detto vai.»

Ornella la vide passare accanto al nanetto e le fece ciao ciao con la mano, il gesto che più la faceva tornare bambina. Diede un'occhiata alla casa di Bernard cercando di capire se era già sveglio, e se ci fossero ancora tracce di cherry della sera precedente. La via sembrava più disabitata del solito, anche se in fondo alla strada una ragazza vestita da majorette si faceva già fotografare dal signore insospettabile.

Il vento stava crescendo d'intensità. Ornella aveva davanti a sé una giornata impegnativa, ma si sentiva pronta, malgrado le tornasse su l'uovo avanzato dalla Patti, o forse era il cherry della sera prima.

Il problema principale era comunicare a Clara che avrebbero avuto un nuovo libraio. Ma come giustificare l'assunzione di un ragioniere che ha letto solo i bilanci aziendali? Ornella vide un'unica scappatoia: dire balle.

Decise quindi di parlare a Diego nel negozio di barbiere, evitando che Clara li vedesse, e per questo arrivò nella via con un foulard che le copriva così tanto la faccia da farla sbattere ogni tanto contro le persone. Aveva un atteggiamento talmente losco che Diego quasi si prese uno spavento quando le apparve davanti.

«Scusa se mi sono mascherata, ma ti vorrei parlare senza che Clara mi veda, capisci?»

«Certo, ci mancherebbe. Potevi almeno cambiare foulard, però. Questo si vede lontano un miglio che è tuo!»

«Uh, non ci avevo pensato.»

«Non ti preoccupare, ora non sta guardando dalla vetrina. Però l'unico posto dove non ti può vedere è il lavabo per i capelli.»

Ornella fu così costretta a sedersi come se si dovesse lavare la testa, mentre Diego si scusò con il cliente a cui stava facendo la barba che lo guardava perplesso. «*Just a moment*» gli disse allontanandosi. E aggiunse «*emergency*» allargando le braccia, come se fosse un medico in prima linea.

«Diego, dobbiamo dire che sei uno stagista segnalato da uno del consolato.»

«Dobbiamo dire a chi?»

«A Clara, in libreria. Se non diciamo così lei ti farà la guerra, e tu sei troppo giovane.»

«Sì, ma questa non è guerra, Orne'. È il mondo del lavoro.»

«Te la senti di mentire?»

«Non mi pare di dover difendere un camorrista. Se me lo chiedi, io eseguo.»

«Allora te lo chiedo. Promettimi che dirai sempre che sei uno stagista.»

«Promesso.»

Quella promessa ne fece venire in mente a Diego un'altra, che Carmine gli aveva fatto: "Se veramente te ne vai in Inghilterra, ti prometto che ti vengo a trovare". Gliel'aveva detto davanti a una sfogliatella a Mezzocannone quando si erano visti per salutarsi. Ma entrambi sapevano che non era vero e Diego aveva lasciato metà sfogliatella sul piattino. Da allora, non l'aveva più sentito.

Anche se non voleva ammetterlo, lo controllava su Facebook, dove appariva sempre in compagnia della ragazza nei baretti di Chiaia o a Ischia, la sua meta preferita da vent'anni.

Il cliente, intanto, vedendo Ornella a mani giunte e Diego con gli occhi persi nel vuoto, iniziò a tossire infastidito per essere stato abbandonato pieno di schiuma sotto gli occhi dei passanti. Diego tornò di corsa a quella barba in sospeso e invitò Ornella ad andare, rassicurandola con una serie di gesti che lei fece fatica a capire.

Lui era elettrizzato all'idea di cominciare a lavorare all'Italian Bookshop, dove forse si sarebbe sentito meno spaesato. Ogni tanto, come se avesse un tic, alzava l'occhio e sognava di accompagnare le ragazze alla cassa, e magari invitarle a uscire. Il cliente iniziava a dare segnali di insofferenza e lui si sforzò di applicare la regola delle 3 P che fanno di un barbiere un grande barbiere: pulizia, precisione e pazienza. E si mise lì, con l'attenzione di un chirurgo, a ridisegnargli le basette.

Arrivata in libreria, Ornella ebbe la sensazione che Clara avesse capito tutto. Stava spostando gli scatoloni con i nuovi arrivi e aveva la flemma di quando fai le cose controvoglia. In realtà, erano solo scatoloni pesantissimi. Appena Ornella provò a darle una mano, si rese conto che era l'assist perfetto.

«Clara, lascia pure lì. Tanto da questo pomeriggio avremo finalmente uno stagista.»

«Cosa significa "finalmente"?»

«Be', non hai mai sognato di avere uno stagista? Qualcuno a cui insegnare la tua arte, la tua esperienza...»

«Io no. E visto che stiamo per chiudere mi pare che abbiamo poco da insegnare.»

«Non dire così, Clara, un po' di ottimismo.»

«È laureato in lettere?»

«No...»

«In lingue allora.»

«Nemmeno.»

«Storia?»

«Acqua.»

«Non ho tempo per scherzare, Ornella.»

«Ok, scusa. È un... ragioniere.»

«E cosa c'entra in una libreria?»

Ornella non sapeva cosa rispondere e se ne restò zitta a guardarla.

«Scommetto che è un'idea della tua amica Patti.»

«Ma cosa dici...»

«Ogni volta che viene qui, tu il giorno dopo annunci cambiamenti. Ricordi quando abbiamo scontato tutto del venti per cento nell'unico periodo in cui i libri si vendono, cioè nella settimana di Natale?»

«Però è stato un successone.»

«Se non è stata la Patti, chi ci rifila questa sola?»

«Il console.»

«Quindi lo dobbiamo anche trattare bene?»

«Vedrai, ti sorprenderà. È napoletano.»

«Oddio pure napoletano?»

«Magari l'hai già visto... è il ragazzo del barbiere di fronte.»

Clara ebbe quasi un cedimento, ma il suo aplomb la mantenne apparentemente in vita. Un ragioniere napoletano poteva capitare solo a lei. E magari parlava pure inglese con l'accento del Sud! "È proprio vero che al peggio non c'è mai fine" disse tra sé. Non solo avrebbero chiuso la libreria, ma l'avrebbero fatto anche con il chiasso e il disordine che da sempre i meridionali mettono in tutto ciò che fanno.

Quando però provò di nuovo a sollevare lo scatolone, pensò che forse uno stagista poteva ancora avere un senso.

11

«Come sarebbe che ti vuoi mettere un cappello rosso a un funerale? Quindi sei arrivata troppo tardi... Mi spiace, Patti.»

«In realtà, la cariatide è ancora viva... è tutta intubata... ma non vorrei essere presa alla sprovvista. Sai, non sono un'ipocrita che si presenta vestita di nero come la vedova del paesello. E poi le scarpe più eleganti che ho sono rosse.»

«Be', è comunque la zia... Io eviterei il cappello rosso, ma sai che io sono antica.»

«Io so che tu hai un rapporto difficile con i cappelli. Lo hai sempre avuto.»

«Non vorrei riaprire questo argomento, Patti. Sai che ci sto male.»

«Invece dovrai superarlo, prima o poi. Come va il ragioniere?»

«Comincia nel pomeriggio, e a Clara ho detto che è uno stagista, perché ho paura che la prenda male.»

«L'avrà presa male comunque. I vecchi come lei non sanno adattarsi ai cambiamenti.»

«Guarda che ha solo cinque anni più di noi.»

«A me sembra una mummia appena risvegliata nel British Museum.»

Ornella sorrise. Le ci voleva, e per un attimo non pensò al suo trauma con i cappelli. Era capitato qualche anno prima, quando la segretaria di Sarah Ferguson, tale Annabelle – cliente della libreria –, aveva invitato Clara e Ornella ad Ascot, alla famosa corsa dei cavalli, ospiti della famiglia reale. Annabelle aveva molta stima di Clara e per educazione lo aveva chiesto anche a Ornella. Clara aveva declinato perché per lei gli unici animali degni di esistenza erano i gatti, e così in tempo zero la Patti si era precipitata dall'Italia a sostituirla: non si può dire di no a un invito ad Ascot!

Lei e Ornella avevano studiato il dress code nei minimi dettagli ed erano pronte a salutare degnamente la regina, i principi e i duchi. Però avevano sbagliato ingresso ed erano finite nella parte proletaria dell'ippodromo accanto alle famiglie che mangiavano hot dog. A metà gara avevano finalmente capito dove si trovava il Royal Enclosure e si erano messe a correre con i tacchi tra la gente per raggiungere il posto giusto. Quando infine si erano sedute con il fiatone in mezzo al gotha della nobiltà inglese, Ornella aveva compiuto il gesto più inconsulto a una cerimonia reale: si era tolta il cappello.

Era stata pubblicamente redarguita da una delle guardie, e tutte le signore intorno, compresa la Patti, l'avevano guardata come l'ultima delle appestate.

C'erano voluti due mesi perché Ornella potesse riderci sopra. E quel sorriso, solo a ripensarci, ancora l'accompagnava mentre andava al supermercato accarezzata da un tiepido sole. Quel giorno i punti da Waitrose valevano il doppio – erano i punti arcobaleno! – quindi, visto lo stato penoso del suo frigo, pensò fosse meglio fare la spesa.

Come al solito si presentò senza lista e cadde nella trappola dell'offerta del giorno: mele Pink Lady, ammorbidente e una confezione di uova da ventiquattro, perché le uova possono sempre servire. Al momento del totale, la commessa le disse:

«Signora Ornella, da oggi lei è ufficialmente un membro del nostro Golden Club, e anche se non le è ancora arrivata a casa la tessera, questa prima spesa è in omaggio. È una sorpresa di Waitrose!»

Ornella si voltò a guardare emozionata la fila ma erano tutti chini ognuno sul proprio telefonino. C'era solo una persona che le sorrideva, e che lei non avrebbe mai pensato frequentasse i supermercati. Mr George era in coda con i mirtilli. La commessa le porse il sacchetto senza farla pagare e aggiunse:

«Peccato che oggi abbia comprato così poco... avrebbe speso sette sterline e quaranta... ma la card le darà diritto a sconti ancora maggiori. *Goodbye.*»

Ornella prese il sacchetto frastornata e decise di aspettare Mr George per un saluto. Nel frattempo sorrideva ai clienti che uscivano, come per dire: "Ehi, da oggi ho la Golden Card!" ma la guardavano tutti con una tale sufficienza che dopo un po' smise. L'unico a farle le congratulazioni fu il suo adorabile vecchietto, che le sorrise sotto il Borsalino bianco, accostato a un dolcevita rosso. Forse un po' troppo per la giornata ma "*you never know*", diceva lui, chi lo sa.

«Non avrei mai pensato di incontrarla qui, Mr George.»

«Crede che mi nutra solo di aria e romanzi? Anche io devo mangiare... e qui trovo i mirtilli più buoni di tutto il quartiere.»

«Cioè, lei viene qui solo per i mirtilli?»

«Be', sì. Sono un pensionato ed è importante avere ogni giorno qualcosa da fare. Ah, complimenti per la sua Golden Card!»

«Grazie, erano anni che la sognavo.»

«Io non l'ho mai richiesta.»

Ornella si sentì una piccola fiammiferaia, ma Mr George poteva dirle quello che voleva e a lei andava sempre bene. Le venne spontaneo invitarlo per un caffè, che lui declinò con educazione. Restarono a parlare davanti al supermercato e poi fecero insieme quattro passi. Così si ritrovarono fianco a fianco per le strade di Hampstead, per una volta lontano dalla panchina che aveva visto nascere la loro amicizia.

Mr George però aveva una curiosità che lo tormentava su una cosa che aveva appena letto.

«Cosa vuol dire "ecatombe"?»

Le sue domande facevano sempre riflettere Ornella su come è complicato spiegare le parole in un'altra lingua. E anche se lui parlava un ottimo italiano, ogni tanto inciampava su qualche termine.

«"Ecatombe" vuol dire che sono morti tutti.»

«Ma è reale o metaforico?»

Ornella lo odiava quando partiva con le domande in sequenza, ma anziché rifletterci provava a rispondere subito, convinta che la velocità fosse anche sinonimo di professionalità.

«Sia reale sia metaforico. "Ecatombe di campioni" si può dire in un torneo dove vengono eliminati i favoriti.»

«Come nel campo numero due di Wimbledon.»

«Più o meno.»

«Quando ho fatto l'università a Perugia c'era un professore di Storia che faceva sempre un'ecatombe di studenti.»

A Ornella suonò un po' strana come frase, ma evitò di correggerlo. Era piuttosto sorpresa nel vederlo camminare più veloce di quanto immaginasse. Forse anche lei avrebbe dovuto mangiare i mirtilli.

«Dev'essere stato un professore severo.»

«Molto. E i suoi professori com'erano all'università?»

Quando gli raccontava del suo passato, Ornella si guardava sempre intorno, prima di parlare. Come se volesse essere sicura di evitare orecchie indiscrete.

«Non mi ricordo quasi niente di quegli anni... Ero a Bologna, era il periodo del femminismo e dell'avanguardia operaia. Una volta mi hanno anche fermato perché pensavano che fossi una brigatista!»

«E l'hanno arrestata?»

«No, l'ho scampata... mi hanno poi arrestata in Germania. Ma quella è un'altra storia...»

«Ah, è vero. Ai tedeschi non si sfugge! E di esami ne ha dati?»

«Ne avrò dati quattro, tutti di gruppo. Ci presentavamo insieme... minacciavamo il professore... gli parlavamo della sua macchina... e ci prendevamo il voto.»

«E si è divertita a Bologna?»

«All'epoca pensavo che fosse tutto molto divertente. Ma la cosa più importante era stare lontano dalla mia famiglia a Verona.»

Mr George sapeva che quello era un argomento delicato, ma vivere la guerra in prima persona gli aveva fatto capire che non bisogna avere paura delle parole, perché a volte basta comunicare per evitare un conflitto.

«Un giorno dovrà tornarci, sa perché? Perché da lontano sembra tutto più spaventoso, ma è solo un'impressione distorta della nostra mente.»

«Non lo so, e non sono sicura di volerne parlare adesso.»

Per la prima volta, Mr George vide Ornella chiudersi a riccio, lei che si era sempre confidata completamente con lui. Cercò quindi di cambiare discorso, soprattutto quando si accorse che si stavano avvicinando all'Italian Bookshop.

«Allora come sta la sua amica "bella gnocca"?»

«La Patti è già ripartita.»

«E cosa ha deciso per la libreria?»

«Di assumere uno che non c'entra niente. Un ragioniere.»

«Davvero?»

«Sì, ma non sappiamo veramente se funzionerà. Anzi, visto che di libri ne sa poco... sarà anche più complicato.»

«Ornella, anch'io non sapevo niente di romanzi italiani, e adesso leggo solo Calvino.»

«Ma lei, Mr George, non fa testo.»

«Cosa vuole dire "non fa testo"?»

«Glielo spiego un'altra volta. Vuole passare in libreria?»

«No, vorrei comprare dei fiori per il cimitero.»

Ornella non vedeva l'ora di sentirsi utile e si offrì di accompagnarlo da Julie, pensando che tra negozianti ci si dovesse dare una mano. Mr George le disse che non solo conosceva quel negozio, ma preferiva andarci da solo. Vista l'espressione di Ornella, lui capì che forse era stato troppo diretto, così cambiò rapidamente discorso.

«Cos'ha Londra di così speciale per voi stranieri?»

Prima di rispondere, Ornella guardò quella via piccola brulicante di persone, mentre all'orizzonte sfrecciavano autobus e macchine. Le tornarono in mente tutti gli italiani che aveva conosciuto, e che si erano confidati con lei.

«È una città che puoi amare subito oppure odiare per sempre, a seconda del momento in cui ci capiti, ma ti farà comunque sentire parte di lei. Vivere a Londra è come andare in bici per la prima volta, ogni volta. Hai paura di andare troppo lontano, ma poi vuoi scoprire cosa c'è qualche metro più avanti.»

Mr George la guardò con l'aria stupita e, mentre la salutava, lei si sentì un po' Alda Merini. Arrivò all'Italian Bookshop pronta ad affrontare una finale olimpica. Prima di varcare la porta fece un lungo respiro, quasi una preghiera affinché tutto andasse bene. Avrebbe dato il cambio a Clara per poter spiegare a Diego che razza di mondo fosse la libreria. Dopo due passi, riconobbe la sua voce, mentre l'altra gli ordinava già dove mettere gli scatoloni. Era riuscita ancora una volta ad arrivare in ritardo.

12

I primi giorni Diego non fece altro che spostare volumi. Mai avrebbe pensato che i suoi bicipiti potessero tornare così utili. Se li riguardava la sera nella sua stanzetta di Kilburn, dopo aver fatto le flessioni per non stare a controllare Carmine su Facebook. La ginnastica gli faceva compagnia e lo stancava tanto da farlo crollare.

La lingua inglese era l'unico punto di contatto tra lui e Clara, che era un po' rigida e si sentiva sempre più esclusa da quello che considerava il suo posto. Lui, invece, l'ammirava soprattutto quando l'ascoltava conversare con i clienti. Gli sembrava di essere a una lezione di *Listen and Repeat* della BBC.

Clara si era accorta di essere osservata, ma faceva finta di nulla. Aveva comunque deciso di non dargli confidenza. Lo considerava come uno che serviva a sollevarla da tutte le incombenze. "Già che vuole fare lo stagista, che faccia cose da stagista" diceva tra sé. Lo chiamava per arrampicarsi in cima a uno scaffale, per rincorrere una signora che aveva dimenticato un pacco, per cambiare l'acqua alla vaschetta di Russell & Crowe – gesto che le dava particolare soddisfazione – o per fare telefonate ai clienti, cosa che Diego viveva con grande apprensione. Quelle erano un vero e proprio esame, e Clara lo osservava con un certo sadismo.

Ornella, invece, sentendosi un po' Maria Goretti, era sempre disposta a rispondere alle domande che lui le faceva di continuo, mettendola in difficoltà.

«Perché i vocabolari sono lontani dai corsi di lingua? Da cosa capisco se un libro è nuovo? Come distinguo un classico da un romanzo contemporaneo?»

«Diego, una domanda alla volta. Prima devi capire il cuore delle storie.»

«È questo il vostro problema, Ornella! Il cuore! Voi li amate troppo questi libri, invece dovete essere più distaccate...»

«Io non ci riesco.»

«Invece devi. Fidati di un ragioniere: prima facciamo quadrare i conti, poi vediamo il resto.»

Clara ascoltava di nascosto ed era sempre più convinta che Diego avesse un solo obiettivo: arrivare alla cassa. Così suggerì a Ornella di stare all'erta, anzi le consigliò di lasciare dei soldi in giro per vedere se il loro stagista era veramente onesto. Peccato che le banconote venissero avvistate anche dai clienti, che con grande disinvoltura se le intascavano facendo finta di nulla.

Ma Ornella era convinta che Diego non potesse essere un ladro: aveva occhi che ogni tanto parevano allontanarsi da lì, per poi riaccendersi non appena si sentiva osservato. Anche lei, in fondo, era così. Serena con gli altri, malinconica con se stessa.

Clara, invece, sembrava seriosa su tutti i fronti e da ogni punto di vista. Era felice solo quando arrivavano le cinque e si preparava il suo bel tè.

Un pomeriggio le venne da chiedere a Diego se ne gradiva una tazza e lui, pur di conquistarla, le disse che quando fosse andata a trovarlo a Napoli l'avrebbe portata al caffè arabo in piazza Bellini, e che mamma Rosa le avrebbe fatto le zeppole. Discorsi che lei pensava appartenessero ormai a un'Italia passata. "Ma l'Italia è sempre passata" aggiungeva amara, ripromettendosi di non offrirgli più nulla.

Dopo una settimana, Ornella chiamò per l'ennesima volta la Patti, con cui era in filo diretto sullo stato di salute della zia Lucrezia.

«Ornella, brutte notizie.»

«Oh, Patti... Alla fine ci si affeziona sempre alle persone, anche a quelle che pensiamo non ci piacciano.»

«Non hai capito. La cariatide sta migliorando e l'hanno tolta dall'isolamento...»

«Oh, ma... è un miracolo!»

«Eh, sì. Anche i medici non se lo spiegano... dicono che sia una donna geneticamente superiore.»

«Meglio così, Patti. Tu con troppi soldi perderesti la testa, e anche tuo marito. Per cui devi essere contenta.»

«Se lo dici tu. Ma perché non lo sono?»

«Perché sei una donna, e una donna è sempre insoddisfatta.»

«Parli come Clara. Come va il ragioniere?»

«Alla grande. Abbiamo già incrementato le vendite!»

Non era sicura che fosse vero, ma non voleva abbattere ulteriormente l'umore della sua amica.

«Te l'avevo detto. Digli di mettersi camicie un po' attillate e vedrai che succederà. Ricordati che i libri li leggono soprattutto le signore.»

«E come glielo dico?»

«Prova a dirglielo in napoletano. Su Google trovi il traduttore automatico.»

«Ah ah. La povertà ti rende più spiritosa.»

«Poi fallo sentire un eroe... e fregatene di Clara!!! Vado che mio marito vuole portarmi fuori a cena per festeggiare la ripresa della zia. Dice che non era pronto a prendere le redini del patrimonio. Che faccio, gli sparo o mi metto il cappello rosso?»

«Inizia a metterti il cappello.»

«Tu che fai per cena?»

«Non so. Mi mangio due uova, un pezzo di cheddar e bevo un bicchiere di prosecco. Sono abbastanza triste?»

«Non lo sarai mai quanto me.»

Ornella mise giù sorridendo, senza rendersi conto che Bernard era seduto sui gradoni di casa sua e la stava osservando.

«Hai sentito che cenerò con un pezzo di cheddar?»

«Eh?»

«HAI SENTITO CHE CENERÒ CON UN PEZZO DI CHEDDAR?»

«Be', adesso sì...»

Mentre Bernard si avvicinava al muretto che li separava, Ornella avrebbe voluto sparire dentro un tombino.

«Quindi, a questo punto, o uniamo i nostri pezzi di cheddar, o ti invito a cena fuori.»

Unire due pezzi di formaggio poteva essere un'idea, ma le venne il dubbio che il suo cominciasse ad avere un po' di muffa. Provò a pensare a una scusa, ma quell'uomo la rassicurava. Temette che potesse riconoscere il nano rubato, per cui decise di accettare senza titubanze. «Dammi cinque minuti e sarò Marilyn» gli disse distrattamente, e lui sorrise.

Quando entrò in casa e aprì l'armadio, Ornella si chiese come avesse fatto a dire una frase così stupida. Ma erano anni che un uomo non la invitava a uscire.

13

Per una volta, Ornella si era trovata a prendere una decisione da sola.

Bernard l'aveva invitata e lei non era riuscita a dirgli "scusa un attimo che chiamo la Patti".

Non ci credeva di aver veramente detto "dammi cinque minuti e sarò Marilyn", ma l'aveva sentito una volta a teatro e si era riproposta di usarlo alla prima occasione.

Le tornò in mente il cappello che la Patti avrebbe voluto indossare al presunto funerale della zia. Lei non ne avrebbe più messo uno dopo Ascot, ma si ricordò di un vestito "rosso Valentino" che aveva preso per un matrimonio e indossato solo quella volta. Questo avrebbe dovuto metterla in allarme. Provò anche a truccarsi, ma non essendo abituata a farlo fu piuttosto spigolosa nel regolare le sfumature. Alla fine tra lei e Marilyn continuava a esserci una certa distanza.

Per fortuna nessuno meglio di un inglese sa dissimulare lo stupore, e Bernard la salutò come se nulla fosse. Anche lui aveva pensato di cambiarsi, ma aveva optato per cinquanta sfumature di maròn. Tutto si poteva dire, tranne che non fossero una coppia ben assortita.

«Mi fa un certo effetto andare a cena con qualcuno che abita a due passi da me.»

«Perché, non ne conosci altre?»

«A dir la verità, solo la signora Phillida, quella dei nani da giardino... non so se hai presente.»

«Mai sentita nominare.»

Ornella sentì la terra mancarle sotto i piedi.

«Una sera mi ha lasciato un biglietto per sapere dove avevo trovato il rampicante che ho vicino alla porta... così ci siamo scritti e mi ha invitato a casa sua per ringraziarmi.»

«E tu ci sei andato?»

«Certo. Ma è stato solo in quell'occasione.»

Bernard era abituato a osservare le persone per lavoro, ma Ornella riusciva a spiazzarlo continuamente. Non poteva immaginare che lei fosse solo preoccupata del suo nano da giardino e si stesse chiedendo cosa ci facesse la signora Phillida nella sua strada.

«E tu, Ornella, conosci qualcuno qui?»

«Solo Clara, che lavora da me in libreria... ma ci frequentiamo poco. Forse sono troppo antipatica.»

«O troppo simpatica.»

Un momento d'imbarazzo calò tra i due, come se fossero usciti dal binario dei convenevoli. Dopo qualche passo in silenzio, fu Bernard a riprendere in mano la situazione, cambiando tono.

«Mangiamo italiano, ti va? Conosco un posto che fa delle fantastiche fettuccine alla bolognese.»

«No dài, ti prego. Le fettuccine alla bolognese ormai esistono solo per gli stranieri, che vengono a mangiarle in Italia con quei sughi fluorescenti... Perché non scegliamo un ristorante neutro, tipo giapponese?»

«A me il pesce crudo fa venire l'orticaria.»

«Ah, sei intollerante? Come ti capisco. Be', anche io... all'origano.»

«All'origano? Non avevo mai sentito l'intolleranza all'origano.»

«Eh sì... è molto rara, ma fastidiosa.»

«E quando l'hai scoperto?»
«Da poco... a dire il vero. I medici stanno ancora studiando il caso.»
«Addirittura? Deve essere molto grave, allora.»
«Sì, ma non ti preoccupare... basta avvertire quando fai l'ordinazione. Quindi non ci resta che il cinese o l'iraniano.»
«Il cinese va benissimo, Ornella. Ne conosci uno?»
«A me piace tanto il cinese di George Michael che c'è in West End Lane.»
«Non sapevo avesse un ristorante.»
«No, ma una volta l'ho visto mangiare lì e quindi per me resta il cinese di George Michael.»
Bernard la guardò e pensò che forse aveva esagerato con quell'abito rosso per una cena al cinese, ma per gli italiani ogni cena è sempre l'Ultima Cena.
Il cielo all'imbrunire invitava alla calma. Mentre camminavano, spettegolarono un po' sul loro vicino di casa che fotografava le ragazze vestite da majorette ed entrambi si resero conto di essere un po' impiccioni.
Le luci alle finestre erano calde, e le sagome dietro i vetri si muovevano lente, come se la quiete di quell'ora condizionasse anche il ritmo delle persone. Ebbero l'impressione di vedere gente molto annoiata, e Bernard le chiese se anche in Italia succedesse così.
«Ci manco da troppo tempo. Ma non sarai mica uno di quelli che pensano che gli italiani sono sempre lì a tirarsi i piatti dal balcone?»
«Dimmi che almeno una volta hai assistito a una scena così.»
«Più che assistere, ero io la protagonista! Ho proprio tirato i piatti! Ma ero fuori di testa, ai tempi dell'università. Non è stata una scena divertente.»
«Quindi deve essere successo da poco.»
Bernard le fece l'occhiolino e Ornella aprì per un attimo la

ruota di pavone. Passarono davanti alla sua villa preferita, tutta bianca con il tetto verde, che sembrava disabitata. Lei sognava di occuparla un giorno e di farci una festa. Fu tentata di confessarglielo, ma si tenne quel pensiero per sé.

Bernard cominciò poi a chiederle cosa aveva fatto in Italia prima di trasferirsi a Londra, ma Ornella preferì rimanere evasiva.

Quando cambi radicalmente vita, hai due possibilità: o rimuovi il passato, e "il prima" lo cancelli con tutte le tue forze fino a convincerti che non sia mai esistito, oppure fingi di non ricordarlo, ma ogni tanto, quando meno te lo aspetti, riappare. Era quello che le stava succedendo. Negli ultimi tempi le tornava di nuovo in mente suo marito, che di fatto non ricopriva più quel ruolo, ma che continuava a essere presente nelle sue solitudini. Alcuni amori sono capaci di restarti nel cuore anche quando sanno solo farti male.

«A cosa pensi, Ornella?»

«A Verona... la città dove sono cresciuta.»

«Quella di Romeo e Giulietta. Ci torni spesso?»

«Saranno almeno vent'anni che non ci metto piede.»

«E la tua famiglia vive là?»

«Lì ho solo i genitori che mi chiedono sempre: "Quando torni?".»

«Be', quello anche i miei. E tu perché non torni?»

«Hai mai sentito parlare della paura?»

Ci sono momenti in cui non hai più le forze per mentire, e arrivano quasi sempre all'improvviso. Ma Ornella si odiava quando intristiva le persone. Per sviare, chiese a Bernard del suo lavoro. Di nuovo non ci capì molto, perché mentre lui parlava lei pensava a quanto era strano ritrovarsi a fianco un vicino di casa sulla via di un ristorante cinese. Fu però bravissima a fingere di ascoltarlo mettendo in mezzo varie espressioni tipo "*Really?*", che usava con certe clienti in libreria.

Al ristorante c'erano poche persone e nessuna di loro assomigliava a George Michael. Il cameriere s'illuminò appena li vide arrivare e la salutò chiamandola "Miss Ornella", togliendole un po' di insicurezza e l'impermeabile. Rimasta sola con il suo vestito, lei si rese conto che era un po' troppo rosso per la serata, ma pazienza.

Se stava per entrare in una nuova fase della vita – quella della disoccupata – tanto valeva cercare subito di farsi notare. Si accomodarono al tavolo davanti alla vetrina e Bernard delegò l'ordinazione a Ornella. Lei non si fece pregare e scelse involtini primavera, spiedini di gamberi e anatra all'arancia, che amava perché la servivano con delle frittelle sottilissime che secondo lei non facevano ingrassare. Alla fine si rese conto che si stava dimenticando di fare la domanda fondamentale: «C'è qualcosa che contiene origano? Perché sa, sono intollerante...».

Il cameriere ci mise un quarto d'ora a capire cosa fosse l'origano, scambiandolo con la cannella cinese.

Quando fu il momento di decidere cosa bere, Bernard propose uno Chardonnay, e lei si sentì arrossire. È questo l'amore? In realtà, erano anni che lui vedeva spuntare bottiglie di Chardonnay dai sacchi della spazzatura.

Il primo brindisi mandò Ornella in crisi.

«A cosa brindiamo?»

«Non lo so, Bernard. Io quando brindo dico sempre "cin cin", ma mi vergogno a dire quelle frasi tipo "a noi" o "alla salute".»

«Allora è il caso di cominciare stasera: "A noi".»

A Ornella sembrò improvvisamente di tradire Axel. Si sentiva sempre a disagio quando si trovava con un uomo che probabilmente voleva solo sedurla, o piazzarle un'assicurazione.

«Non ci riesco.»

«Allora diciamo semplicemente: "A stasera".»

«"A stasera" ce la faccio.»

Si guardarono negli occhi e lui bevve un po' di corsa per non dare a quel brindisi troppa solennità. Aveva avuto la sensazione che Ornella si stesse per alzare dal tavolo e lui l'avrebbe preso come un fallimento personale.

Per fortuna arrivò il cibo e lei, per la fretta di fare qualcosa, si ustionò la lingua con lo spiedino di gamberi. Tutti i passanti sembrava guardassero solo il suo vestito in vetrina. Perché non esiste il pulsante che ti fa cambiare il colore degli abiti?

Intanto le era caduta la posata, aveva rovesciato il vino, e quando arrivò l'anatra all'arancia, Bernard la prese per un braccio, glielo strinse e le disse:

«Capisco che sei tesa perché non mi conosci e pensi che io abbia chissà quali intenzioni. Ma non ti dimenticare che la vera ragione per cui siamo qui è che se fossimo rimasti a casa avremmo cenato con due pezzi di cheddar davanti a *EastEnders*.»

«Anche tu guardi *EastEnders*?»

«Certo, non me ne perdo una puntata.»

Non c'è niente che ti metta più a tuo agio di qualcuno che segua la tua stessa serie televisiva. E così, dissertando sugli sviluppi della storia, Ornella e Bernard terminarono l'anatra e lo Chardonnay senza nemmeno accorgersene. Lei si scordò perfino del suo vestito e anzi salutava con la manina i passanti che la guardavano incuriositi.

Bevvero tutto, anche il sake, fino a che si resero conto che i camerieri stavano aspettando solo loro. «*Crazy people*», sentirono bisbigliare alle loro spalle. E Bernard, per una volta, provò l'ebbrezza di essersi lasciato finalmente andare.

14

Diego non avrebbe mai immaginato che i romanzi potessero davvero cambiare un po' la vita. Aveva chiesto alle due libraie il permesso di portarne qualcuno a casa, alla sera, e Clara era convinta che li rivendesse al mercato dell'usato.

Lui sceglieva sempre quelli più venduti e gli ultimi arrivati, e andava su internet a cercare le recensioni dei lettori. Poi stilava una sorta di classifica con tanto di media dei voti, numero di giudizi, emozioni suscitate.

Questa sfida lo aiutava soprattutto a non pensare a Napoli, che cominciava a mancargli. Aveva nostalgia di quel suo traffico a singhiozzo, che non si ferma mai ma che non scorre mai, come una pentola che cuoce un eterno ragù. E poi gli mancavano la funicolare di piazza Fuga e le partite al San Paolo, quando la città si bloccava. In realtà avrebbe voluto solo Carmine, ma non poteva dirlo.

Divideva la casa con un ragazzo greco che rientrava tardissimo alla sera – faceva il barista a Soho –, per cui non si incrociavano quasi mai. E anche quando succedeva, sembrava non importargliene niente di lui: non gli faceva domande, non lo invitava nel bar dove lavorava, e Diego aveva l'impressione che gli mangiasse pure la sua marmellata. Altro che "una faccia una razza".

I libri divennero presto una buona scappatoia, e lui si divertiva soprattutto a leggere quelli in italiano destinati agli inglesi, con quelle storie facilitate che lo facevano sorridere. *Una sera con Mario il pizzaiolo* era il suo preferito.

Un pomeriggio, incredibilmente, si trovò solo in libreria per la prima volta. Ornella era andata a ritirare un elettrostimolatore che aveva vinto con i punti della farmacia e Clara era appresso al gatto. Diego provò quel senso di potere assoluto che hanno gli adolescenti quando i genitori escono a cena.

Si prese la briga di sistemare alcune pile di libri e allontanò un po' l'acquario dalla cassa in modo che fosse visibile anche dall'esterno: Russell & Crowe erano due vere star. Già che c'era, improvvisò un angolo di lettura, e tirò fuori da un cassetto dei cioccolatini che giacevano intatti da tempo.

E proprio quando stava per godersi quel nuovo ambiente, entrò una vecchia signora e lui andò nel panico. La salutò con un "*good afternoon*" e cercò di replicare le mosse di Clara, che erano sostanzialmente attendiste. Ma lui amava giocare d'attacco per cui, dopo qualche minuto, le si avvicinò e le disse in italiano: «Buonasera, come va?».

La signora restò perplessa, ma il sorriso di Diego le sembrò così irresistibile che rispose in una lingua non sua.

«Bene, grazie.»

«Le piacciono i thriller?»

Diego cercava di usare parole di facile comprensione.

«*Oh, I love thriller!*»

«Ha già letto *Delitto in Piazza del Campo*?»

«*Oh my God*, no. La piazza del Palio di Siena... ho visitato... bellissima. Ma non so se libro troppo difficile per mio livello linguistico.»

La signora scandiva le parole come il tomtom quando ti dice di svoltare a destra. Diego andò a prendere il libro e mentre correva ebbe il primo brivido da quando lavorava lì: sapeva dove si trovava il volume.

Prima di darle la copia, si mise dinanzi a lei e le cominciò a leggere le prime righe per vedere se capiva. L'aveva visto fare a Ornella e gli era parsa un'idea geniale.

"Gli inglesi adorano i quiz e amano essere interrogati" gli aveva detto di nascosto da Clara "ma non li devi umiliare." La signora annuiva estasiata dicendo che "capiva tutto perfettamente" e Diego non poté fare a meno di consigliarle anche *Le polpette di zia Dora* per imparare i segreti della frittura all'italiana. La signora era così esaltata che continuava a curiosare, e lui lì assestò il colpo della serata: un corso avanzato con tanto di dizionario annesso.

«Se va avanti così, non avrà più bisogno dei libri facilitati, signora...?»

«Jones, mi chiamo Phillida Jones.»

In quel momento entrò Ornella e per un attimo pensò di svenire. La padrona dei nani, cui Clara aveva insegnato l'italiano a colpi di lettere e di tè, era davanti a lei. Decise di applicare il motto della sua vita nei momenti drammatici: "Nega l'impossibile, parla il meno possibile e renditi invisibile".

Salutò la signora freddamente e cercò di fare la distaccata, anche se riuscì a far cadere tre libri in cinque minuti.

Di colpo la libreria non le parve più sua. La prima cosa che vide, ovviamente, furono i *suoi* pesci spostati, anche se di poco, e i *suoi* cioccolatini alla cassa.

Diego sembrava imbarazzato, ma lei lo guardò con gli occhi di una madre alla partita di calcetto del figlio, convinta di aver messo al mondo un campione.

Si sentì sollevata solo quando lo vide accompagnare la signora Phillida alla porta.

«La mia prima vendita, marò che soddisfazione...»

«Sei stato bravo.»

«Non abbastanza.»

«Invece lo sei. Perché sei riuscito a instaurare un rapporto con lei. Gli inglesi bisogna saperli prendere...»

«Il problema non sono gli inglesi. Sei tu, Ornella. Non puoi avere paura dei tuoi clienti...»

Lei non poteva spiegargli il motivo per cui si comportava così con quella signora.

«... Soprattutto ora che la libreria ha le ore contate...»

«Ma tiè!»

Ornella gli fece il gesto delle corna.

«No, per carità, intendevo dire che ora dobbiamo buttarci avanti e offrire i cioccolatini. Dobbiamo rischiare. "Quanno buono buono, chiù nero d'a mezzanotte nun po' veni'."»

Ornella lo guardava come un grande attore che senti per la prima volta in lingua originale: ti piace ma non capisci niente. Le prese una strana euforia, che riuscì a farle vendere anche una copia di *Pinocchio* – libro che trovava di una noia mortale – e un bestseller di Bruno Vespa, *Il palazzo e la piazza*, che giaceva dimenticato da ventiquattro mesi, come un parmigiano stagionato.

Per chiudere in bellezza, arrivarono anche Julie e sua sorella Anastasia, che voleva un regalino per il suo fidanzato calabrese, Nunzio.

Diego le consigliò *Cazzimma*, perché parlava di Napoli e non era scritto da Erri De Luca. Fu così persuasivo che le due ragazze lo comprarono all'istante. "Bye bye Diego" gli dissero per salutarlo, e lui se lo sarebbe voluto tatuare sulla schiena.

Prima di uscire, Ornella tornò indietro a prendere due cioccolatini, uno per sé e uno per lui. Quelle furono le uniche parole che riuscì a trovare per dirgli grazie.

15

Ci sono luoghi che sembrano fatti per pensare, e per Ornella niente era come il Waterloo Bridge. Diego non ci era mai stato, e così lei lo convinse a prendere il 139 in Finchley Road.

Londra vista in movimento ti dà sempre l'impressione che tu ti stia perdendo qualcosa: Diego quasi si dimenò quando, ad Abbey Road, riconobbe le strisce pedonali della famosa copertina dei Beatles, riuscendo a scattare dieci foto senza metterne a fuoco nemmeno una.

Arrivati al capolinea, i due si diressero verso il ponte. I pub erano pieni di gente vestita bene che sembrava escluderli dalla serata, ma a loro non importava.

A prima vista, sembrava un luogo come gli altri, con le auto che sfrecciavano senza rallentare. Fecero qualche passo in silenzio, fino a che Ornella, come in una festa a sorpresa, gli disse: «Benvenuto a Londra».

La ruota panoramica, il Tamigi, la cattedrale di Saint Paul, l'Oxo Tower e le mille luci intorno regalarono a Diego una grande emozione. Perché quella sera anche una città così ingombrante sembrava dargli speranza.

Si godettero lo spettacolo senza conversare. Fu il loro modo di dimostrarsi gratitudine. Anche questo è Londra: trovare qualcuno e fidarsi totalmente di lui all'istante.

«Sai perché è così speciale questo ponte, per me?»
«Perché qui ti sei innamorata.»
«Sì. Di questa città. Lo scoprii dopo un po' di mesi che ero qui, e giravo per non pensare...»
Diego meditò che forse avrebbe dovuto fare una foto da mandare a Carmine su WhatsApp.
«... un giorno ci capitai per caso. E quando mi resi conto che qui si vedeva tutto quello che avevo ammirato nelle cartoline, mi parve di aver trovato un tesoro.»
«Che bello, tu ti ricordi ancora le cartoline!»
«Io continuo a mandarne, sai? Anche se non ne ricevo mai. È il mio modo di pensare alle persone.»
«Perché mi hai portato qui?»
«Perché so cosa significa arrivare in un luogo dopo che si è fuggiti da un altro. Il vuoto che ti prende quando entri a casa la sera, non hai nessuno che ti aspetta e il frigo è quello che è. Credi che tutti si stiano divertendo e che l'unico sfortunato sei tu. Ma non è così... È solo che qui tutti cercano di dare il meglio di sé... non lo vedi come corrono? Poi si ubriacano al pub... Alla tua età i dolori sembrano più intensi, però se ne vanno anche più in fretta.»
«Ma io non sto male... sono semplicemente spaesato.»
Non era vero, ma Diego voleva convincersene, e Ornella provò ad alleggerire il discorso.
«Scommetto che mamma Rosa ha già cambiato profilo telefonico per chiamarti a tariffa agevolata.»
«Be' quello è ovvio... L'ha cambiato ancora prima che partissi.»
«Vedi? Sei ancora un ragazzino.»
Chissà se sarebbe stata un buon genitore, si chiese Ornella guardandolo mentre si sporgeva dal ponte. Si ricordò dell'unica volta che aveva fatto il test per vedere se era rimasta incinta di Axel. Nel suo candore, ci aveva sperato.
Ma una che non riusciva a essere né figlia né moglie non po-

teva diventare mamma. O forse sì. Nella maternità non ci sono regole né giustizia, ci sono solo la vita e il suo destino.

Anche se lei sarebbe stata una madre senza un passato, perché il suo passato era una grande bolla svanita di colpo, che le aveva lasciato la sensazione di non avere vissuto.

Arrivarono a piedi fino alla cattedrale di Saint Paul, che a quell'ora era splendida e sola. Scesero per Fleet Street, alla ricerca di un posto dove fermarsi per cena, ma non c'era nulla che li convincesse. Diego era alla caccia del ristorantino dove si mangia bene, si spende poco, il cameriere ti offre l'amaro e il conto è scontato. Così Ornella propose di prendere qualcosa da Masala Kitchen e di tornare a mangiare a casa sua. In realtà, aveva quasi completato la tessera punti che le avrebbe dato diritto a una pashmina omaggio, ma evitò di dirlo a Diego per non sembrare una pezzente. Per fare prima, presero la metro, che lei cercava di evitare perché aveva paura di rimanere bloccata in galleria.

«Il vino ce l'hai?»

«Ovviamente. A casa mia due cose non mancano mai: il vino e un pezzo di cheddar.»

«A casa mia manca sempre tutto.»

Per una volta, dopo giorni, Ornella si rilassò. Diego invece iniziò a chiacchierare come una macchinetta perché gli stava venendo uno strano desiderio di parlarle di Carmine. Le raccontò addirittura di quanto era brava Maria Nazionale dal vivo, che Ornella confuse con la De Filippi.

Quando arrivarono davanti al cipresso, Ornella ebbe un sussulto. Bernard aveva la luce accesa, e lei si sentì in imbarazzo a essere sorpresa con un ragazzo che avrebbe potuto essere suo figlio. Diego invece, quasi a farlo apposta, indugiava all'esterno – «ma questo nano è tuo?» – e stentava a credere che stesse per entrare in una vera casa inglese.

Li accolse il solito caos esagerato.

«Ora capisco da dove nasce tutto quel casino in libreria.»

«Stai dicendo che sono disordinata?»

«No, ma va'... a me piace così, sa di casa vissuta. Il vintage va sempre.»

Diego ebbe il timore di essere licenziato e provò ad accampare scuse improbabili, ma Ornella gli chiese di essere sincero: e lui si sentì autorizzato a trasformarsi nel ragioniere che fa il report. Prima di parlare sistemarono il tavolo della cucina, dove appoggiarono il pollo al curry e le lenticchie speziate, che Ornella accompagnò con una bottiglia di Franciacorta Cavalleri fregata dalla Patti al duty free.

Così, in mezzo alle lenticchie, mentre lei ancora pensava al colore più adatto per la pashmina, Diego le recitò i primi punti su cui l'Italian Bookshop doveva migliorare.

«Hai presente al supermercato, che non si trovano mai l'acqua e lo zucchero?»

«Ah, capita anche a te?»

«Certo, è marketing. L'acqua e lo zucchero sono sempre ben nascosti perché così tu, mentre li cerchi, compri altro. Noi dobbiamo fare lo stesso nella nostra libreria... ma in modo consapevole, non che ti perdi perché i volumi sono messi a caso. E poi dobbiamo muoverla, far venire gente.»

La parola "nostra" provocò in Ornella un briciolo di emozione.

«Be', lunedì prossimo abbiamo l'appuntamento con Lorenza L'Abbate.»

«E chi è?»

«È un'autrice esordiente pugliese... Viene qui a presentare il suo primo romanzo.»

«Ma allora perché non compriamo due taralli e facciamo "Un tarallo con l'autore"? Così sembra subito festa e creiamo l'evento su Facebook... vedrai, scassiamo tutto. E poi quanto costeranno mai due chili di taralli?»

«Credo tre o quattro sterline.»

«Era così per dire, non volevo sapere il prezzo! Allora che dici... ti fidi di me?»

A Ornella quella del tarallo sembrò un'idea alquanto curiosa e le piacque subito per questo, ma ci pensò un attimo prima di rispondere.

«Sì, e non so perché.»

«Me l'hai fatto capire tu prima: perché siamo a Londra. Ho un solo favore da chiederti, ora.»

«Dimmi.»

«Posso vedere un attimo che fa il Napoli?»

«Ma c'era la partita stasera?»

«Orne', ci sta sempre una partita. Oggi recupero campionato... poi ci saranno i quarti di Europa League... ma era più importante uscire con te.»

Ornella si sentì così lusingata, mentre cercava inutilmente il Napoli sui canali satellitari, che fu tentata di chiedergli cos'era il 4-4-2. Ma appena scoprirono che la squadra partenopea stava perdendo, pensò fosse meglio tacere. Quando a mezzanotte accompagnò un Diego piuttosto affranto alla porta, si accorse che Bernard era alla finestra.

16

Di colpo la Patti si ritrovò al punto di partenza.

La zia Lucrezia si era rimessa in piedi prima del previsto e lei, per non pensarci, aveva iniziato a correggere le bozze di una trilogia dedicata agli angeli sperando di trovare una risposta ai suoi perché. Nel frattempo, cercava di arrivare a fine mese con dei capelli accettabili. Per quanto avesse scoperto Cheng Li a nove euro, ogni tanto doveva passare dal suo parrucchiere di fiducia e le partiva buona parte dello stipendio.

Suo marito Adolfo continuava a gestire gli appartamenti della zia Lucrezia e ciò che guadagnava lo spendeva per giocare a golf, e così lei tirava avanti spolverando la credenza del Settecento in attesa di un futuro migliore.

Dopo l'uscita della zia dall'ospedale, la Patti era entrata in pasticceria e si era mangiata un vassoio di chantilly. Voleva premiarsi e punirsi. L'unica consolazione in quei giorni era attaccarsi al telefono per sfogarsi con Ornella del destino che ogni volta sembrava sul punto di svoltare e poi succedeva sempre qualcosa di storto.

In realtà, le ultime volte l'aveva chiamata per ricordarle di quello che, formalmente, era ancora suo marito. Axel stava sempre peggio e lei sentiva che Ornella doveva rivederlo: aveva anche dato la sua parola alla sorella di lui e voleva mantenerla.

Anche quando non era fisicamente presente, Axel era sempre stato il perno attorno a cui era ruotata la vita di Ornella. Ci sono persone che non ci lasciano nemmeno dopo che le abbiamo mollate, e quell'uomo era un po' così. Più che un'appendice, un'appendicite. Una cosa che fa male, ma che cerchi disperatamente di sopportare.

Tra i deliri della febbre e dei farmaci, lui la chiamava anche in inglese: "Ornella *come here*".

Ma la Patti sapeva che se aveva una possibilità di convincerla, se la poteva giocare solo di persona. Quando la zia si era rimessa, appena era venuta a conoscenza che lei era corsa al suo capezzale, le aveva regalato duemila euro in contanti, e la Patti aveva capito che forse l'epoca della Guerra fredda era finita. Il gesto epocale andava festeggiato con un altro viaggio a Londra.

Acquistò un biglietto di sola andata perché le piaceva l'idea di non sapere quando sarebbe tornata. Avvisò subito Ornella al cellulare, ma suonava a vuoto. Chiamò a casa, ma niente. Telefonò in libreria e incredibilmente rispose Clara, che come da *Lesson Number One* pronunciò il suo: «*Italian Bookshop, how can I help you?*».

«Sono la Patti.»

Silenzio.

«Clara, sei tu?»

«Ovvio che sono io. Sono l'unica che lavora qui.»

«Ma Ornella non c'è?»

«No è fuori con lo stagista a cercare taralli perché lunedì prossimo abbiamo un incontro con una scrittrice e qui vogliono fare "Un tarallo con l'autore".»

«Oh, mi fai venire già fame.»

«Non ti ci mettere anche tu, Patti.»

«I tempi cambiano, Clara, ormai i libri si vendono se le persone le fai mangiare. Tu sarai fuori dalla grazia di Dio, eh?»

«Sai, ho sessant'anni e un gatto a cui badare, e non ho le forze per cambiare abitudini. Se questa è la direzione della libreria, forse è bene che me ne vada.»

Clara sognava di poter dire un giorno: "No Ornella, io me ne vado".

«Perché, quale direzione sta prendendo?»

«Be', mi sembra che stiamo diventando estremamente commerciali.»

«Ne parliamo davanti a un caffè la prossima settimana, che vengo su?»

«Ma io non bevo caffè. Solo tè. *Only tea.*»

«È vero... comunque era un modo di dire.»

«Mi spiace per tua zia, scusa, non ti ho neanche fatto le condoglianze.»

«Non ti preoccupare, è ancora viva... nel senso... per fortuna si è ripresa!»

«Bene... ti sento sollevata. Comunque di' alla tua amica che ciò che ha sempre distinto la nostra libreria è la classe.»

Clara mise giù, alzò la testa e vide Ornella che stava entrando con due sacchetti di taralli, mentre Diego portava altre borse dal contenuto non identificabile. Parlavano dell'evento come se dovesse rivoluzionare il corso della letteratura. Li guardò cercando di dissimulare i suoi veri sentimenti e diede un po' di mangime a Russell & Crowe, gesto che non compiva mai.

«Ah, siete già qui? Ti ha appena cercato la tua Patti.»

«Oddio, è morta la zia?»

«No, infatti era abbastanza sconfortata. La prossima settimana torna a Londra.»

Clara si rese conto di aver usato un tono acido e si occupò di un cliente inglese che cercava un romanzo di facile lettura per migliorare la sua pronuncia.

Diego, che si sentiva ormai il salvatore della patria, preso dall'entusiasmo pensò che anche gli inglesi avevano diritto ai loro incontri in libreria, e tornò alla carica con Ornella.

«Ascoltami bene... io ho fatto un corso di teatro e so leggere in pubblico, e a questi gli piace sentire leggere in italiano, fidati. Li invitiamo, io leggo qualche pagina e poi gli vendiamo il libro... è facile. Se mi dici sì cominciamo subito la prossima settimana.»

«Ma lunedì abbiamo già l'appuntamento con la L'Abbate. Non vorrei fare confusione!»

«Macché confusione: lunedì facciamo il tarallo e giovedì prepariamo il tè. Così almeno ci proviamo, che dici?»

Ornella era un po' frastornata, per cui accettò. Come un soldato in trincea, lui iniziò subito a telefonare ai clienti invitandoli alla lettura di *Una sera con Mario il pizzaiolo*, mentre Clara era sul punto di svenire, soprattutto per come lo sentiva parlare inglese.

Diego, però, venne presto interrotto nel suo lavoro di persuasione.

Julie era tornata per regalare un libro a sua sorella, ed era accompagnata dal fidanzato di Anastasia, Nunzio.

Era un ragazzo alto, robusto ed elegante. Si muoveva come si muovono i ricchi quando ti danno l'impressione che se vogliono comprano tutto il negozio, toccando gli oggetti come se fossero già di loro proprietà.

Diego non voleva ammetterlo, ma gli ricordava Carmine. Aveva lo stesso modo di gesticolare, con quella simpatia mista a strafottenza. Scelse un libro attratto dalla copertina e si avviò verso la cassa. Julie tornò di corsa al negozio di fiori – aveva una composizione urgente – invece i due ragazzi si fermarono a parlare un po' di Londra e un po' di calcio.

Mentre impacchettava il libro, a Diego venne da dire a Nunzio che se voleva farsi i capelli, di fronte alla libreria c'era il posto migliore della città. Clara era sempre più disgustata da tanta sfacciataggine che le venne un attacco di tosse. Se solo avesse saputo lo stato di subbuglio dello stomaco del suo "stagista", forse sarebbe stata meno severa.

Ornella era però dispiaciuta nel vedere Clara soffrire così. Aveva sbagliato a non spiegarle che le sue mosse erano solo dettate dall'azzardo, che era sempre stata la sua carta vincente. L'aveva messa da parte senza coinvolgerla, dando per scontato che non avrebbe capito, che non si sarebbe adattata.

Così le si avvicinò e le chiese del gatto. «Ora sta finalmente meglio» le rispose lei sorridendo, «anche se credo sia intollerante al salmone.» «Come me con l'origano!» replicò Ornella cercando di trovare un contatto, ma Clara la guardò piuttosto indifferente. Era come se ci fosse un muretto a separarle, né troppo alto, né troppo spesso. Ma quanto bastava per rendere tutto difficile.

17

La domenica era sempre una liberazione.

Per Ornella rappresentava il giorno delle pulizie, anche se faceva un tale caos, mentre sistemava le cose, che la casa non sembrava mai fare progressi. Dopo il predicozzo di Diego si era anche un po' offesa e voleva dimostrare al mondo di essere una persona civile. Il fatto era che ogni volta, mentre spolverava, ritrovava biglietti di concerti, o una tessera punti di cui non ricordava l'esistenza.

Trovò pure un cartoncino della segretaria della Ferguson che la ringraziava per aver accettato il suo invito ad Ascot! Gli inglesi sono strani: ti fanno un regalo e poi ti scrivono per ringraziarti di aver accettato il loro regalo. "Ci credo che poi non ci capiamo" diceva Ornella tra sé.

Cercava sempre di non soffermarsi troppo quando ritrovava tracce di Axel. C'era quel disegno tra le pagine di Jane Austen, e poi ce n'era un altro che aveva riscoperto da poco: un acquerello che le aveva fatto a Verona, una mattina. Ornella stava con gli occhi chiusi, su una sedia, come se fosse al mare. Sembrava addormentata, mentre era semplicemente sotto l'effetto di qualche sostanza. Axel era riuscito a cogliere quel momento e a trasformarlo in arte. Oddio, il disegno non gli era venuto per niente bene – doveva essere sotto l'effetto della stessa sostanza pure lui –

ma quella era un'immagine in cui Ornella si rifugiava sempre volentieri: lei che sogna mentre una persona la guarda. Quella domenica sembrava baciata dallo stesso sole. Uscì in giardino a controllare se le avessero preso il nano. Ci mancava solo che le rubassero il nano rubato. Lei ormai lo sentiva suo di diritto ed era sicura che, se ci fossero stati problemi, Amnesty International le avrebbe dato ragione.

Mentre era lì a sorseggiare un caffè, Bernard le lanciò un "buongiorno" dalla finestra. Prima di rispondergli, lei si sistemò i capelli.

«*Good morning*, Bernard, come stai? Scusa se non mi sono più fatta viva.»

«Non ti devi scusare. Anche se siamo andati fuori a cena continuiamo a restare due vicini di casa.»

Questa frase la sorprese – un po' la deluse – e la tranquillizzò. Doveva essere gay per forza per mettere le mani avanti così, o forse erano semplicemente troppo adulti per pensare a una relazione.

Lei si sedette sul panchetto ai piedi del cipresso e continuò la conversazione come se fosse in una casa di ringhiera.

Well Walk non aveva mai sentito parlare così a lungo due persone che abitavano nella stessa via. Ornella in realtà sentiva l'urgenza di correre alla sua panchina, ma non voleva sembrare scortese.

Bernard se ne accorse e, per non trattenerla ulteriormente, lanciò l'idea di un brunch a Kenwood, che la colse alla sprovvista. Non avendo il tempo di pensare, rispose la prima cosa che le venne in mente.

«Che bella idea. A che ora?»

«Ah, ma tu intendevi già oggi? Be', fantastico... non ci avevo pensato. Che ne dici all'una?»

«...»

«Ornella tutto ok?»

«Eh?»

«ORNELLA TUTTO OK?»

Ognuno nella strada adesso sapeva il suo nome, comprese le ragazze vestite da majorette del vicino insospettabile.

«Sì, sì, stavo pensando... Va bene all'una. Io arrivo direttamente là che ho una commissione da fare... spero solo di trovare il posto.»

«Credo che ci siamo anche incontrati lì una volta, ricordi?»

Ornella non se lo ricordava, ma provò ad abbozzare.

«Che scema, è vero. Quando vado a Kenwood mi chiudo in me stessa e non vedo cosa mi circonda.»

«Ma veramente eri con la tua amica che cantava *La Bohème* un po' di giorni fa.»

«Ah, la Patti! Ma lei non conta... lei fa parte di me, quindi era come se fossi sola.»

Bernard scosse la testa sorridendo e chiuse la finestra, facendole il segno "ci vediamo dopo", e Ornella restò sul panchetto a godersi quella luce. Improvvisamente le venne in mente un verso di Montale: "Ma è possibile, lo sai, amare un'ombra". Rientrò in casa a prendere *Satura*, di cui aveva trovato una vecchia edizione. Ne avrebbe riletto qualche verso al parco.

Fece una doccia bollente, ma solo perché il miscelatore non funzionava bene, e si preparò a quella giornata inconsueta. Passò al supermercato a comprare dei mirtilli per Mr George – in realtà voleva verificare che la Golden Card fosse ancora valida – e si diresse a Hampstead Heath.

Aveva l'entusiasmo di un turista del Club Med il giorno che ha l'escursione, ma restò presto delusa: la panchina era vuota. Non c'era neppure la signora a limarsi le unghie. Ornella provò a fare un giro d'ispezione, ma niente.

Si sedette e aprì le poesie di Montale. Alcune erano così intense che le leggeva scandendole, come se dovesse imparare una lingua straniera.

Ogni tanto chiudeva il libro e guardava l'orizzonte, e pensava che se a Verona il cielo fosse stato sempre così, forse la sua vita avrebbe preso un'altra direzione. Ma a diciott'anni la luce la devi cercare dentro di te, avrebbe detto Paulo Coelho.

Ornella era immersa nella lettura di *Avevamo studiato per l'aldilà* quando una mano le toccò la spalla. Lei ebbe una reazione così inattesa che il povero Mr George ebbe quasi un mancamento.

«Ornella, mi perdoni. Non pensavo fosse posseduta dalla poesia.»

«Mr George, ma dov'era? L'ho cercata per tutto il parco...»

«E perché mai, se ci vediamo sempre qui? Mi sembra molto agitata questa mattina. Sta bene?»

«Oh, sì. In libreria mi pare che qualcosa stia cambiando. Anzi, le volevo dire...»

«Sono qui.»

«Questa settimana faremo due incontri con il pubblico... e quello di giovedì sarà dedicato agli inglesi! Leggeremo qualche pagina in italiano con un grande attore. Sarebbe bello se lei potesse venire.»

Non seppe come le venne di definire Diego un "grande attore", ma ormai era tardi.

«Ma io sono un po' riservato.»

«Giuro che farò finta di non conoscerla.»

In attesa della sua risposta, Ornella pensò che *Una sera con Mario il pizzaiolo* non era proprio il libro adatto a un lettore raffinato come lui.

«Se questo può rendere lieta la sua domenica, posso dirle che ci sarò. Si usa "lieta" in italiano?»

«Non molto. Ma è una parola proprio bella.»

Mr George tirò fuori un piccolo notes dalla giacca e scrisse il suo numero di telefono per avere dettagli sull'incontro. Aveva una di quelle calligrafie curate che sembrano in via di estinzione.

«Che onore, Mr George, ma non si senta obbligato. Lei per me è come un parente lontano di cui mi fido e che non mi chiede dei soldi.»

«In effetti volevo giusto farlo.»

«Veramente??? No, guardi... non è un bel momento.»

«Ma perché prende tutto sul serio?»

«Perché sono un po' ingenua e molto isterica.»

«Ma le pare che un uomo della mia età possa chiedere soldi a una signora come lei?»

Per la prima volta Ornella capì che anche gli inglesi hanno un cuore, solo che parla una lingua diversa.

Stettero in silenzio per un po', come ai vecchi tempi, ognuno perso nel suo libro. Ornella ogni tanto leggeva qualche terzina, guardava il parco, e avrebbe voluto che la vita trascorresse sempre così, accanto a un uomo che legge Calvino.

Si stava avvicinando l'una e lei si preparò ad andare.

«Va a mangiare con la sua collega seria?»

«No, temo che Clara in questi giorni voglia vedere solo il gatto. Andrò con il mio vicino di casa a Kenwood.»

«Che posto romantico.»

«Dice?»

«Be', una domenica a Kenwood si propone solo alle persone che si vogliono conquistare.»

«Ma allora perché ho accettato?»

«Be', vuol dire che lui le piace, ma non vuole ammetterlo. Come sempre fa finta di non vedere.»

«No, le giuro, Mr George... glielo giuro su...»

Mr George la guardava senza capire come mai gli italiani per convincerti dovessero sempre giurarti qualcosa.

«Le credo, *my dear*. Prima che lei vada via però mi dice cosa significa "abbondanza"?»

Ogni tanto a Mr George sfuggivano le parole più semplici.

«"Abbondanza" significa... che di una cosa ne hai tanta.»

«Come per me gli anni?»

«Be', un po' sì.»
Ornella si pentì subito di averlo detto.
«Non sto dicendo che è vecchio, Mr George.»
«Infatti non sono vecchio: sono vecchissimo. Ed è giusto così. Non sopporto quelli che mi dicono: "Però... per la sua età la vedo bene!". Loro sì che mi fanno sentire anziano.»
Ornella avrebbe voluto ascoltarlo per ore, ma era arrivato il momento di andare. Lo salutò ricordandogli l'appuntamento di giovedì e gli regalò i mirtilli appena presi con la Golden Card, lasciandolo senza parole. Si voltò come sempre per fargli ciao ciao, e Mr George per una volta rispose al suo saluto nello stesso modo.

18

Kenwood è uno di quei luoghi che sembrano usciti da un film di Walt Disney.

La villa bianca e maestosa brillava nel verde, anche se mancava la principessa prigioniera alla finestra.

Ornella non poteva credere di essere lì con un uomo che l'aveva invitata, disobbedendo al fioretto che aveva fatto molti anni prima a quella madonnina in Toscana, quando aveva sussurrato: "Ti prometto che non avrò mai più nessuno accanto nella mia vita, purché Axel si salvi".

Quel giuramento l'aveva portata a una serie di momenti paradossali con gli uomini, in cui si tirava indietro tipo Lucia Mondella. Alla lunga, si era allontanata dall'universo maschile e si era convinta che nemmeno la guardassero più. In realtà, non voleva vedere. Come la volta in cui un cliente della libreria le aveva fatto una proposta di matrimonio mandandole una cassa di Ornellaia, e lei l'aveva rispedita al mittente tenendo una bottiglia da bere con la Patti.

Per quanto riguardava Bernard, era convinta che fosse importante mantenere rapporti di buon vicinato, tanto più quando si superano i cinquant'anni e può essere utile conoscere qualcuno che si arrampica su una scala per toglierti le tende, che poi le tende le usano solo gli italiani.

Bernard e Ornella si salutarono con naturalezza all'ingresso del bistrò e per non sbagliare ordinarono un aperitivo. Erano ancora al primo sorso quando lei vide la signora Lovely venirle incontro.

La migliore cliente della libreria era lì e stava andando a salutare proprio lei. Per Ornella, un riconoscimento pubblico che avrebbe voluto filmare con il telefonino. Poi tutto questo avveniva davanti a Bernard, che la vedeva sempre seduta accanto al nano con gli occhi persi nel vuoto. Ornella si sentì una piccola celebrità di quartiere e si alzò in piedi per accoglierla allargando le braccia come se fosse un capo di Stato. Braccia che via via assunsero una posa più misurata man mano che la signora Lovely si avvicinava.

«Mrs Smithson, anche lei qui.»

In realtà, Mrs Smithson non sapeva di essere soprannominata signora Lovely, per via della parola che ripeteva di continuo come un intercalare.

«Oh, qui è tutto così *lovely*.»

«Piace molto anche a me. Infatti stiamo bevendo un drink in attesa di mangiare.»

«*Oh, lovely!*»

Per Mrs Smithson era tutto *lovely*, anche quando qualcosa non le piaceva, dal tè ai libri alle tasse da pagare. Era una signora colta, simpatica e un po' sola, e i libri italiani per lei erano un grande viaggio che amava poi condividere con le amiche. Ornella pensò che sarebbe stato un bel colpo se Mrs Smithson fosse venuta all'incontro, così le scappò una domanda che le fu fatale.

«Perché non si siede con noi a mangiare qualcosa?»

«*Oh, lovely!* Non avevo proprio voglia di stare da sola.»

Solo Ornella poteva trovare l'unica inglese al mondo che accettasse un invito all'istante. Guardò Bernard in cerca di conforto, ma il suo vicino aveva lo sguardo di una statua di Madame Tussauds. Anzi, si alzò a cercare la cameriera per sistemare al meglio la loro nuova ospite come se nulla fosse. Ornella ci rimase un po' male nel vedere tutta quella attenzione destinata a un'altra signora, ma non era più abituata a provare nei confronti di un uomo un sentimento vicino alla gelosia. Non se lo ricordava più, e per questo si sentiva ancora più fuori posto.

La signora Lovely, per un eccesso di euforia, sembrava la caricatura di se stessa: non stette zitta un secondo, dalla *meat pie* al cuscus vegano che Ornella pensò di ordinare per essere un po' al centro dell'attenzione. Quasi si sciolse – e al tempo stesso si sentì sprofondare per la vergogna – quando Bernard chiese alla cameriera se uno di quei piatti contenesse origano, perché *the lady* era intollerante, e la ragazza lo confuse con il coriandolo. Ornella pensò che avrebbe dovuto essere intollerante a qualcosa di più inglese, tipo la pancetta. Intanto Bernard riempiva i bicchieri con un Nebbiolo che sulla signora Lovely ebbe un effetto soporifero a corrente alternata. Quando sembrava sul punto di spegnersi, si riaccendeva all'improvviso.

«Cara Ornella, non avrei mai pensato che avessi un marito. Ero convinta che fossi sola come me.»

«Veramente Bernard non è mio marito, ma il mio vicino di casa.»

«*Oh, lovely.*»

Lo disse anche in quell'occasione. Prima che Mrs Smithson si riaddormentasse, Ornella la invitò all'incontro del giovedì all'Italian Bookshop. L'altra ebbe una reazione così entusiasta da farsi venire gli occhi lucidi. Bernard, nel frattempo, subiva una conversazione in cui si sentiva poco coinvolto, ma lo nascondeva dietro un sorriso impenetrabile. Quando Ornella sentì la signora Lovely russare, le diede un pizzicotto e le disse che forse era meglio se l'accompagnavano a casa in taxi.

Durante il tragitto, la signora ebbe un nuovo colpo di sonno e le cadde la testa sul finestrino. Si svegliò a destinazione come se nulla fosse e li invitò in casa per una *nice cup of tea*. Ornella e Bernard dissero "*no, thank you*" all'unisono senza alcuna esitazione. *"Lovely"* fu l'ultima parola che sentirono e che ripeterono a lungo, mentre si allontanavano a piedi da quella casa il più velocemente possibile.

Il sole era caldo, ma le nuvole facevano capolino all'orizzonte e non si capiva da dove fossero spuntate.

Ornella aveva la sensazione di aver rovinato tutto, come sempre, e voleva di nuovo morire.

«Scusami, Bernard. Mi dimentico che non tutti gli inglesi sono uguali. Ci sono anche quelli che accettano l'invito. In vent'anni non mi era mai capitato, te lo giuro!»

«Ma perché devi giurarlo? Ti credo... Non trovi che sia bellissimo che succeda? E poi almeno avrai un po' di persone al tuo incontro in libreria.»

«Ma tu sei sempre così ottimista o a volte t'incazzi?»

«Mi sono arrabbiato troppe volte. E quando ti lamenti sempre alla fine ti giri e non c'è più nessuno ad ascoltarti.»

Per strada bevvero un caffè un po' troppo lungo, ma servito con un tale garbo da sembrare buono. Accanto a loro, due giovani in tuta stavano digitando sui telefoni. Era come se dovessero ricominciare il loro incontro e trovare una direzione. E quando Bernard propose di arrivare a Parliament Hill, a Ornella sembrò di tornare adolescente. Adorava gli aquiloni e avrebbe passato le giornate a vederli nel cielo. Era da un po' che non andava in quel punto del parco, e la domenica cercava di evitarlo perché si deprimeva a vedere tante persone con quell'aria che sembra di felicità.

Si stava alzando il vento e le nuvole sembravano addensarsi proprio sulle loro teste. Quello era il punto migliore da cui guardare Londra e far volare un sogno. A un certo punto iniziarono a correre, come se dovessero vincere una sfida contro il tempo. Fu Bernard a cedere prima. Per fargli fare meno strada, Ornella lo convinse ad attraversare lontano dalle strisce, cosa che lui forse non aveva mai fatto.

Arrivarono su senza dirsi molto, perché entrambi avevano il fiatone. Sull'ultimo tratto della collina, il vento li sospinse verso qualcosa che non si aspettavano: in cielo non c'era neanche un aquilone. Il vuoto totale. Era tutto così nero che le persone stavano correndo via. Sullo sfondo, la City con i suoi grattacieli sembrava rimproverarli di essere arrivati tardi. L'unica cosa che Bernard riuscì a dire fu: "*Lovely*". Iniziarono a ripeterlo come due liceali, anche se ogni tanto smettevano di parlare per via del vento, fino a che si ritrovarono soli, al buio.

Una panchina guardava la città e pareva invitarli.

Avevano due possibilità: andare via a passi lesti, o restare ad ammirare quel panorama con il rischio di prendersi un acquazzone. Restarono, e arrivò un *heavy shower* che li lavò in pochi minuti.

«Dici che dovremmo metterci al riparo, Bernard?»

«No... in fondo volevamo questo parco solo per noi.»

Non accelerarono il passo, né si nascosero sotto un albero. Se ne andarono lentamente come se la pioggia non li sfiorasse nemmeno.

"Quando non t'importa più che tempo fa, vuol dire che sei innamorata" le aveva detto Mr George. Appena la discesa si fece più ripida, Ornella chiese a Bernard di darle la mano. Oltre i tuoni, nelle sue orecchie continuava a risuonare Montale: "Ho sceso, dandoti il braccio, almeno un milione di scale".

19

«Quindi non vi siete baciati?»
«No. Cioè, più o meno.»
«"Più o meno" vuol dire che lui ci ha provato e tu ti sei scansata?»
«Più o meno.»
La Patti aveva il terrore che il telefonino le cadesse nella bacinella ma aveva troppo male ai piedi per non metterli a mollo, per cui lo teneva con due mani.
«Ornella dimmi cosa è successo ieri.»
«Innanzitutto calmati. È stata una bellissima giornata, anche se a pranzo c'era pure la signora Lovely.»
«E chi l'ha invitata?»
«Io, ovviamente. L'abbiamo incontrata e mi è scappato di dirle se voleva unirsi a noi...»
«... e lei si è accomodata. Mai dire a una signora sola se si vuole sedere. Le signore sono sempre stanche.»
«È capitato, dài.»
«Poi?»
«Poi siamo andati a Parliament Hill a vedere gli aquiloni, ma non ce n'era neanche uno.»
«Be', mi pare un ottimo inizio.»
«In effetti.»

«E poi? E poi? Racconta...»

«Patti, ora non posso... da oggi iniziano i grandi eventi. Si parte da "Un tarallo con l'autore" e mi devo preparare psicologicamente.»

Per cinque minuti la Patti non smise di ridere. Ornella provò a perdere la pazienza, ma non ci riuscì. Così le sciorinò le nuove iniziative della libreria facendo un po' di confusione: sembrava una manager della City dopo tre caipirinhe a stomaco vuoto.

«Non ho capito bene ma mi pare fantastico! Ne parliamo venerdì, così mi racconti tutto.»

«Ma non puoi arrivare il giorno prima che così vieni all'incontro per gli inglesi? Diego farà le letture ad alta voce...»

«...»

«Patti ci sei?»

La Patti si stava palpando l'alluce dolente.

«Sei pazza? Capisco che Diego è un gran figo ma giovedì ho fissato il massaggio che ho preso su Groupon due mesi fa.»

«Cioè, tu non vieni a Londra per un po' di cellulite? Guarda che a casa ho anche l'elettrostimolatore che ho vinto in farmacia... e poi basterebbe che prendessi la tisana drenante.»

«Ornella, ci ho provato. Non posso andare in bagno ogni dieci minuti. Non è vita, è prigione! Vuoi che stracci il biglietto e che mi resti la buccia d'arancia?»

«Ok, fai come ti pare.»

«Vedo che sai essere comprensiva.»

Ornella mise giù con la consapevolezza di avere un'amica davvero fuori dal comune, e non l'avrebbe cambiata di una virgola. L'umore era buono, ma la domenica con Bernard l'aveva un po' sconvolta. Quando non sei più abituato all'amore, ti senti inevitabilmente inadeguato.

Si affacciò per rivedere l'angolo dove aveva avuto la sensazione che Bernard stesse per avvicinarsi a lei, il giorno prima. E lì, per il terrore di dover dire no, si era allontanata con la scusa di cambiarsi in fretta gli abiti fradici. Per cui, se anche c'era stato un approccio, era avvenuto solo nella sua testa. Bernard era troppo sensibile per non sapere che quella vicina era una cassaforte di emozioni di cui nemmeno lei conosceva la combinazione.

Era piovuto tutta la notte e la pioggia aveva conciliato il sonno di entrambi.

Ornella uscì di casa velocemente per non essere vista, cosa che le riuscì malissimo perché era tutto fuorché naturale.

Arrivata all'Italian Bookshop pensò che forse avevano esagerato nel personalizzare la vetrina in occasione di "Un tarallo con l'autore". Più che una libreria, sembrava una gastronomia, dato che Diego aveva messo alcune bottiglie di olio in mezzo ai libri per dare il senso di casa. Russell & Crowe avevano iniziato a fare le acrobazie, mentre Nanni Moretti, dal poster, disapprovava ogni decisione.

Ornella non aveva ancora capito quale fosse la strategia vincente, ma era contenta per gli incassi in aumento. Restò un po' perplessa quando Clara le disse che lei non poteva fermarsi fino all'incontro perché il suo gatto aveva di nuovo le convulsioni e doveva portarlo dal veterinario.

«Ma se si nasconde davanti alle persone come fanno a visitarlo?»

«I veterinari sono veterinari. Conoscono le tecniche per i gatti timidi. L'importante è capire se ci sono altre intolleranze oltre al salmone.»

«Le intolleranze sono terribili...»

«Mi spiace non essere presente alla serata dei taralli, ma vi aiuterò nell'allestimento. Dici che dieci sedie sono troppe?»

Ornella si offese e non rispose, perché significava portare anche un po' sfortuna: dieci sedie erano veramente poche. Meno male che Diego la faceva ridere dall'altro lato della strada mentre tagliava i capelli a un cliente sovrappeso. Le mimava gesti strani che Ornella fraintendeva completamente. Lei capiva "convinco anche lui a venire alla nostra serata", mentre lui le stava dicendo: "Questo ne ha mangiati di taralli!". La parola "tarallo" era comunque corretta.

Durante la pausa pranzo, Ornella andò a prendere qualcosa al pub da portare via: quel giorno c'era l'offerta "Due *jacket potatoes* al prezzo di una", così decise di fare una sorpresa a Mr George e di portare qualcosa anche a lui. Già che c'era si fece aprire una bottiglia di Merlot, per dare un tocco personale. Peccato che di lui non ci fosse nessuna traccia, così si sedette sulla sua panchina cercando di apparecchiare come poteva.

Il cielo era di un grigio non troppo comune a maggio, e questo la fece preoccupare in vista dell'incontro con il tarallo, perché gli italiani se piove non escono.

Nell'attesa si fece un bicchiere di vino, mentre le patate si stavano cominciando a raffreddare. Decise di assaggiarne un pezzetto.

Per un attimo, guardando il bosco e i tetti in lontananza, le tornò in mente il pomeriggio con Bernard. Era un tarlo che le dava anche un po' d'inquietudine, per cui si versò ancora da bere. Essendo abituata allo Chardonnay, il vino rosso cominciava a farle uno strano effetto, e per evitare di stare male finì anche la patata di Mr George.

Ornella stava per andare via quando, dietro la siepe, spuntò la signora cattiva che aveva visto limarsi le unghie. Fissò Ornella circondata da scatole, tovaglioli, avanzi di patate e la bottiglia mezza vuota. "La solita italiana" pensò. Lei si sentì così colpevole che corse via scusandosi, concentrata soprattutto a non barcollare.

«Voglio morire» ripeteva, «voglio morire», e ogni tanto perdeva qualche pezzo per strada.

20

Diego era uscito a fare due passi quando vide Ornella avanzare a zigzag. Gli sembrava poco lucida, per cui fece un rapido dietrofront perché non sapeva come affrontarla: era pur sempre la sua responsabile. Tornò in Flask Walk, che a quell'ora pullulava di persone. Il portamento dei signori in completo impeccabile lo lasciava sempre ammirato: pensava che i gentleman inglesi fossero tutti dei napoletani mancati, anche senza la cravatta di Marinella.

La sua unica via d'uscita fu entrare nel negozio di Julie. La ragazza, quando lo vide, gli fece una specie d'inchino che prese Diego in contropiede. Restarono fermi a guardarsi, più che a chiacchierare, fino a che lei gli chiese se stava cercando qualcosa. Diego non sapeva cosa rispondere, per cui improvvisò.

«Be', veramente sì. Volevo una pianta per la libreria perché stasera abbiamo una serata italiana.»

Lui non sapeva bene come gli era venuta quell'idea, ma la "serata italiana" innescò un fuoco di fila di proposte da parte di Julie. Iniziò a parlargli di Leonardo Da Vinci e finì con Al Bano e Romina: in Danimarca erano famosi in egual misura, diceva. Diego provò a controbattere che non erano proprio la stessa cosa, ma lei non capì, facendogli intanto vedere piante fiorite e composizioni, anche se l'altro non distingueva le vere dalle finte. Nessun ammiccamento, mentre spiegava, nessun "ci vediamo una sera a bere una cosa". Solo parole.

Ogni tanto Diego se ne perdeva qualcuna, ed era felice di sentirsi attratto da lei. A volte tirava fuori il mento e faceva la posa del soldato partenopeo.

Ornella era passata davanti al negozio a testa bassa, concentrata com'era a stare in equilibrio, e Diego si era sentito terribilmente vigliacco a non salutarla. Alla fine scelse una pianta con fiori bianchi e rossi che, con il verde delle foglie, rappresentava al meglio il Bel Paese.

Quando Julie gli batté uno scontrino da venticinque sterline, lui si sentì mancare. Fu uno di quei momenti in cui ti chiedi come hai fatto a cacciarti in un guaio così.

Gli tornò in mente una teoria di Carmine: "Quando ti becchi una fregatura, pensa sempre di esserti preso una multa". E anche se quella teoria lo aiutò a pagare con un altro spirito, si rese conto che Carmine era nella sua testa anche davanti a una bella ragazza.

Tirò fuori le banconote come se ne avesse tantissime e si avviò verso l'uscita a passi veloci. Si sentiva un po' tradito e un po' fesso, e voleva scappare da lì.

«Scusa, Diego, come si dice *discount* in italiano?»

«Sconto. Si dice "sconto".»

«Ah, allora io ti ho fatto "sconto" di cinque sterline.»

«Davvero?»

«Sì, solo per te.»

"Quindi c'è davvero feeling" pensò lui rinfrancato, mentre le diceva "non sparire" in un inglese tradotto alla lettera: «*Don't disappear*». Uscito dal negozio, si fece la via tenendo quel vaso in mano come se fosse un trofeo.

All'Italian Bookshop c'era un clima surreale. Clara, più che parlare, borbottava dicendo continuamente "*Oh my God*". Ornella stava davanti al computer cercando di sembrare normale, ma le girava la testa. Era così euforica che, quando Diego le porse la pianta, per un attimo cadde dalla sedia. Continuava a non spiegarsi come proprio lei, abituata a bere di tutto da quando aveva quattordici anni, avesse potuto lasciarsi andare in quel modo.

Poi, finalmente, trovò la spiegazione: doveva essere davvero intollerante all'origano e nelle *jacket potatoes* ce n'era in quantità. "Se ti prendi gioco della natura, la natura si prenderà gioco di te" si disse in tono apocalittico.

Mancavano poche ore a "Un tarallo con l'autore" e non era ancora stato predisposto alcuno spazio per l'incontro. Clara faceva un certo ostruzionismo e dopo poco si defilò, dicendo che la signora Phillida l'aveva avvisata di aver sentito il gatto fare strani rantoli da casa sua.

Ornella, alla parola "Phillida", la lasciò subito andare. «Sono ubriaca» disse poi subito a Diego, che aprì una busta di taralli dicendole che «anche se siamo ormai in una società *gluten free*, il glutine resta il più grande alleato per combattere le sbronze. Mangiati questo e vedi come torni fresca e tosta!»

Ornella in realtà non vedeva l'ora di avere una scusa per addentarne qualcuno, e lentamente si sentì meglio. Restò seduta accanto alla pianta, che trovava meravigliosa, mentre Diego pensava soprattutto a far funzionare il microfono. Era il primo incontro letterario che organizzava. Aveva scovato su internet tutti i gruppi di italiani che vivono a Londra e sparso inviti non dimenticando mai le due parole chiave: taralli e prosecco. Ne avevano comprati quattro chili e quattro litri, che con la Golden Card di Ornella erano costati il trenta per cento in meno.

Mancavano venti minuti all'inizio dell'incontro e l'autrice non rispondeva al telefono, la giornalista chiamata a intervistarla aveva dato forfait, e Ornella continuava ad avere giramenti di testa.

Diego iniziò a togliere una fila di sedie e ad allargare quelle rimanenti, e si sentiva sollevato all'idea che Clara non assistesse a quella scena triste.

Quando ormai era giunta l'ora, si erano palesate solo cinque persone mentre la L'Abbate, che si era persa in metropolitana, telefonò per chiedere di scusarsi con i presenti. Ornella provvide a farlo singolarmente.

Poco dopo però arrivarono alcune signore all'arrembaggio che cercavano la "festa del tarallo", seguite dai parenti di secondo grado della scrittrice e dagli "Amici della Sicilia", che vollero proporre a Ornella un altro incontro, perché non si poteva ospitare un autore pugliese e snobbarne uno siciliano, "almeno tra noi meridionali non dovremmo essere razzisti". Ornella fu felicissima di essere scambiata per meridionale.

Alla fine, non si sa come, si presentarono ottanta persone che in quell'angolo di libreria sembravano tantissime.

L'attesa però si faceva lunga e Diego, galvanizzato da tutta quella gente, disse che sarebbe stato bello se l'autrice li avesse trovati con il libro in mano e un bicchiere di prosecco. Parole magiche.

Quando Lorenza L'Abbate arrivò in libreria, si trovò davanti una scena a cui, in tanti incontri, non aveva mai assistito: tutti avevano la propria copia e la stavano aspettando con i calici all'insù.

La libreria non aveva battuto così tanti scontrini dalla vigilia di Natale. Vennero vendute settantadue copie, mentre le ultime otto le acquistò l'autrice che ci teneva a regalarle ai parenti.

Il prosecco finì prima dei taralli, e molti chiesero se potevano acquistare l'olio esposto in vetrina.

Dopo l'alcol, Ornella era sotto l'effetto di un'altra ubriacatura: quella di una grande sorpresa. A un certo punto si avvicinò a Diego e gli disse: «Sai che ti voglio bene?».

21

Dopo aver chiuso un incasso da record, salutato sconosciuti, spostato sessanta sedie, spazzato per terra, Diego andò a sciacquarsi la faccia. Era il suo modo per accertarsi che andava tutto bene.

Ornella scrisse subito a Mr Spacey per comunicargli il successo della serata e lui rispose con un laconico "*Very well*" che a lei parve comunque incoraggiante.

Le erano completamente spariti i segni della sbronza e le era sorto il dubbio che potesse essere allergica al vino rosso.

Diego, intanto, era uscito dal bagno di pessimo umore. Durante un controllo distratto al telefono, aveva visto che Carmine aveva cambiato l'immagine del profilo su Facebook mettendone una con la sua ragazza: brindavano nello stesso bar di piazza Bellini dove spesso erano andati insieme loro due. Diego lo visse come un piccolo tradimento, e si chiese se Facebook fosse davvero un bene per i rapporti umani. "Si' proprio scemo" ripeteva tra sé, "si' proprio scemo", mentre ingrandiva la foto per osservare i dettagli.

Uscì dalla libreria un po' sommessamente con la scusa del mal di testa, cui nemmeno una donna in buona fede come Ornella credette. Ma anche lei era esausta e non aveva più spazio nella testa per pensare. Solo Russell, che fece una specie di salto carpiato nella vaschetta, riuscì a riportarla un attimo alla realtà.

Diego aveva bisogno di conferme della sua virilità per scacciare quel pensiero ossessivo dalla testa. Per un attimo, fu tentato di chiamare sua madre. Lei lo avrebbe rassicurato senza che lui le dicesse niente, in quel modo che hanno le mamme di tranquillizzarti chiedendoti solo se piove e cosa hai mangiato.

Invece fece il duro e non le telefonò. Si fermò prima davanti alla vetrina di Julie, ma era già andata via, poi tornò verso Hampstead High Street e si rifugiò in un pub dove non era mai stato, che a quell'ora era più affollato della metropolitana.

Era stanco e l'unica cosa di cui avrebbe avuto bisogno era un po' di pace. Invece scelse il rumore, perché il silenzio lo avrebbe fatto di nuovo crollare. Ordinò una birra e gli arrivò una roba torbida che lui accolse perplesso, mentre una ragazza di fianco a lui gli faceva un cin cin con il suo bicchiere. Era un po' rotonda, con una pelle bianca e soda e l'andazzo di una che è già al secondo giro.

«Sei solo?»

«Sì, sono solo *and you*?»

«Sono con degli amici, ma per un nuovo amico italiano sono pronta a lasciarli perdere.»

«Ah, torni da loro? *Bye bye*.»

«No, dicevo che resto qui con te. Se ti va. *If you like*.»

La conversazione in mezzo al casino non era il massimo per l'inglese di Diego, che però era diventato abile a dissimulare. Alla fine capì che la ragazza burrosa, tale Susan, era disposta a lasciare gli amici in disparte e a farsi una birra insieme.

Si alzò dallo sgabello e la invitò a sedersi nell'unico angolo tranquillo del pub. Susan non poteva credere che in piena Hampstead ci fosse un manzo italiano libero, arrapato e solo. Era una ragazza un po' disillusa e frustrata, stanca di essere sempre la seconda scelta. Anche ora, mentre chiacchierava con un bel ragazzo, nessuna delle sue amiche la stava notando.

Diego lo intuì e proprio per questo la mise al centro dell'attenzione. Le sarebbe saltato addosso se solo fosse stato un po' più ubriaco, ma voleva una conquista netta e senza margine di errore. Per cui, prima che Susan perdesse lucidità, la invitò a prendere un caffè a casa sua. Il caffè napoletano era la trappola perfetta in cui si poteva cadere senza sembrare lascivi, e lo proponeva anche se a lui non piaceva granché.

Lasciarono il pub e si avviarono a prendere la metro per Kilburn. Susan abitava poco lontano, così disse, anche se non era vero. A Diego eccitava soprattutto l'idea che non fosse bella, ed era convinto che le donne meno belle a letto godessero di più.

Arrivati in casa, saltarono preliminari e caffè e fecero un sacco di rumore, come ben sentì il coinquilino greco, sempre più indifferente e preoccupato solo della sua moussaka surgelata. Diego si sentì sollevato, fiero di aver allontanato i suoi fantasmi per un po'. Susan non avrebbe dimenticato facilmente quella serata, anche se andò via in piena notte senza salutare. Non voleva assistere alla delusione del giorno dopo, cui era abituata. Diego scoprì che era sparita solo quando un sms lo svegliò in piena notte. "Preparati che sto per venire a Londra" gli aveva scritto Carmine. E lui vide davanti a sé il paradiso e l'inferno, ma un po' di più il paradiso, anche se non lo avrebbe ammesso nemmeno sotto tortura.

Si guardò intorno, vide che Susan era andata via, si voltò dall'altra parte e disse solo: «E adesso?».

22

Senza un motivo preciso, per due giorni di fila sia Ornella sia Bernard si erano alzati prima del solito.

Entrambi si erano dati un appuntamento non scritto alla finestra, in quella loro nuova abitudine di dare un'occhiata alla casa del vicino. Ornella lo vide mentre lui stava fingendo di cambiare aria. Indossava una specie di accappatoio che lo faceva sembrare un attore, mentre lei aveva una T-shirt con su scritto *"I am a stupid girl"* di cui si vergognò all'istante.

Un po' per la sorpresa e un po' per l'imbarazzo, Bernard la invitò per una tazza di tè. Lei accettò all'istante, anche se iniziare la giornata con un tè le sembrava pure da malati. Dopo vent'anni di Londra, Ornella non aveva ancora capito che era un modo di dire, e che al posto del tè poteva anche chiedere una spremuta d'arancia.

Si buttò sotto la doccia cercando di non ustionarsi, e maledicendosi per non aver ancora chiamato l'idraulico per aggiustare il miscelatore.

Non ricordava l'ultima volta che si era sentita così agitata. Neanche con Axel ai primi tempi della loro storia. A un certo punto si ritrovò al terzo cambio di camicia, che doveva sembrare elegante, casual, stropicciata, stirata, classica e alla moda contemporaneamente. Guardando le cose appese nell'armadio, si rese conto perché l'ultima volta la Patti le aveva detto perentoria: "Io e te dovremmo fare un po' di shopping".

Era molto indecisa perché lei aveva certezze solo per i foulard eccentrici, e da quando ne aveva visto uno indosso a Kate Moss, era convinta che anche le ragazze stilose si vestissero così. Alla fine bussò alla porta di Bernard con una camicia bianca dove spiccava la spilletta che le avevano regalato ad Ascot prima della gaffe con il cappello. "Con un tocco di famiglia reale non si sbaglia mai" pensò.

Era la prima volta che Ornella entrava ufficialmente in casa di Bernard da invitata, ed era contenta che fosse poco prima di andare in libreria, così non doveva fermarsi troppo.

Lui la fece accomodare in salotto, e mentre andava in cucina le chiese se preferiva un caffè solubile, ma lei continuò a rispondere tè per non contraddire il galateo.

Rimasta sola, cominciò a curiosare. Si chiese come potesse esistere una casa tanto ordinata a due passi dalla sua. Non poteva certo immaginare che, mentre lei era stata un'ora a cercare la spilletta di Ascot – che quasi non si vedeva talmente era piccola – Bernard aveva fatto sparire tutti gli oggetti fuori posto in una panca che aveva preso allo Spitalfields Market.

Quando lui entrò con il vassoio, la trovò immobile davanti a una foto incorniciata.

«Sì, quella che vedi è la mia ex moglie.»

«Abita qui a Londra?»

«Sì, abitava a Wimbledon. Purtroppo è morta due anni fa, ma non stavamo più insieme.»

«Mi spiace.»

«Non ci parlavamo più da tempo, e ho saputo che era morta solo dopo i funerali... Per questo ho deciso di esporre quella foto. Non puoi dimenticare le persone che ti hanno reso felice, anche se per poco. La vita non è un film dove i colpi di scena sono previsti.»

Sorseggiarono il tè guardando la foto, in piedi, senza commentare.

«Ma non devi essere triste per me, Ornella.»

«Le foto delle persone morte mi mettono sempre malinconia. E se hai notato, sono belle anche quando la foto non è niente di che.»

«Hai ragione, non ci avevo mai pensato...»

Dopo qualche secondo di silenzio, Bernard iniziò a guardare l'orologio cercando di non farsi notare.

«Scusami, ti sto facendo fare tardi.»

«In effetti tra poco avrei un appuntamento, ma finisci con calma il tuo tè... Credevo che saresti venuta subito!»

«Lo so, Bernard, ma...»

«...»

«... ma ho avuto una lunga telefonata di lavoro.»

«Alle otto del mattino?»

«Eh, sì, i libri sono mattinieri.»

Si sarebbe uccisa dopo aver detto "i libri sono mattinieri" ma Bernard pensò fosse un modo di dire italiano mal tradotto. Malgrado l'invito implicito a darsi una mossa, Ornella continuava a tenere la tazza un po' distante da sé, come se contenesse un'aspirina effervescente. Il tè non riusciva proprio a finirlo.

«Comunque mi sono divertito domenica.»

«Anche con la signora Lovely?»

«Lei ha avuto il suo momento di protagonismo. Chi non lo desidera ogni tanto? E poi l'hai motivata a venire in libreria domani!»

«Però, che memoria... Verrai anche tu?»

«Non so nulla di italiano... ma magari faccio un salto.»

«Sarebbe bello. Se hai amici che vogliono imparare la nostra lingua abbiamo tutto l'occorrente.»

«Una sera poi facciamo una cena come si deve, e decido io dove andare. Posso?»

«Direi che decidi sempre tu.»

«Quasi sempre. Però voglio un sì vero, Ornella. Non come per questo tè che so benissimo che non lo finisci perché non ti piace. Non ti ho mai visto uscire con una tazza da tè in giardino. Solo tazzine.»

«Bernard, ma tu mi spii!»

«Non è che ti spio, è che... ho una memoria fotografica.»

C'era qualcuno che la teneva in considerazione e la osservava, e lei non se n'era mai accorta. Ornella sentì salire una specie di paura e si sforzò di dare una sorsata al tè in modo naturale. Cercò di ricordare come lo beveva Clara, ma non era mai stata brava a recitare. Le faceva davvero schifo ma ormai era tardi per millantare un'intolleranza. Le andò addirittura di traverso e un po' se lo rovesciò sulla camicia, per fortuna lontano dalla spilletta.

Vedendola conciata in quel modo, Bernard la trovò semplicemente irresistibile, e si chiese perché avesse aspettato tutto quel tempo prima di invitarla. Stava per fare tardi a un appuntamento di lavoro, e per una volta non gliene importava niente.

Ornella se ne accorse e diede finalmente un'accelerata. Avrebbe subito sottoscritto che il peggior espresso batte il tè della regina quattro a zero.

Prima di lasciarla andare via, Bernard cercò una conferma per la cena, che non trovò, e questo lo motivò ulteriormente. Le regalò una *boule de neige* con dentro un piccolo nano, e lei ebbe la certezza che lui la considerasse una ladra.

Arrivò in libreria felice, e in cuor suo sapeva perché. Clara invece era di tutt'altro umore e le chiese di raccontarle esattamente la sera dei taralli.

«Clara, è stato un successone. Abbiamo venduto ottanta copie!»

«Lo so, avete lasciato gli appunti con gli incassi dappertutto. La privacy per voi è un optional. Dove devi andare oggi?»

«In che senso?»

«Nel senso che non ti vesti mai così per venire in libreria.»

Ornella si sentì sprofondare, ma temette che il pessimismo di Clara portasse un po' sfortuna, per cui glissò.

«No... è che... non so, oggi mi sentivo da camicia.»

«Poi sei riuscita a sentire la tua amica?»

«Quale amica?»

«Tu hai solo un'amica: la Patti. La bionda che vuole ereditare. Ti ha chiamato ovunque, ma dice che stai diventando sorda. Si sta imbarcando in aeroporto. Ha deciso di farti una sorpresa e arriva nel pomeriggio... vuole esserci domani per il reading con gli inglesi.»

«Ma davvero?»

«Certo che è vero. Ha anche detto di non avvisare Samir che l'ha già chiamato lei. Ha l'offerta "In Inghilterra come in Italia" e può fare telefonate illimitate verso i numeri inglesi. Mi ha tenuto mezz'ora per spiegarmi che ha cancellato pure il massaggio preso su Groupon.»

«Mi spiace, Clara. Come sta il gatto?»

«Benissimo... perché?»

«Ma... non si era aggravata l'intolleranza al salmone?»

Clara si rese conto che stava perdendo qualche colpo. Anche lei non era brava a mentire.

«Ah, il mio gatto, certo! Alla fine il veterinario è riuscito a visitarlo e sospetta un'allergia al polline.»

«Al polline? Ma pensavo che solo gli esseri umani fossero allergici al polline!»

«Tu devi aprire un po' la mente, non puoi pensare che esistano solo le persone.»

«Scusa se è poco.»

«Hai una visione del mondo molto limitata... Comunque è da ieri che starnutisce. Ora è sotto antistaminico. Ne avrà per una settimana.»

«Ah, meno male, oggi solo buone notizie: l'altro giorno è andata benissimo, tra un po' arriva la Patti e domani abbiamo il reading di *Una sera con Mario il pizzaiolo*. Ne abbiamo quaranta copie... non saranno poche?»

«Dubito che verranno molte persone.»

«Dobbiamo dare fiducia a Diego.»

«Adesso dobbiamo dare fiducia pure agli stagisti.»

«Che c'entrano gli stagisti?»

«Ornella, mi hai detto che è uno stagista raccomandato dal console.»

«Ah, il console, è vero! Il console lo rimuovo sempre. Non sono proprio nata per i piani alti!»

Ornella bofonchiò qualcosa imbarazzata e si allontanò. In fondo non tutti riescono a adattarsi ai cambiamenti, e Clara forse avrebbe avuto bisogno di più tempo.

La Patti si presentò sulla porta con una valigia finta di Dolce & Gabbana che Samir le aveva portato fino a lì.

Per evitare la scena dei saluti, Clara si tuffò su un cliente e le lasciò sole.

«Ma non era il caso che ti disturbassi a tornare, dopo quello che hai passato con la zia Lucrezia... o che non hai passato, vabbè datti la tua interpretazione.»

«Invece ho fatto proprio bene a venire, Orni, perché sai con chi vado a cena domani? Con Samir!»

«Se Adolfo sa che lo tradisci con un autista di minicab ti disereda.»

«Ma chi ti dice che lo tradisco? Si chiama "intrattenimento per signore". Mi viene a prendere domani dopo la presentazione... Ma Diego oggi non c'è?»

A Clara, che ascoltava facendo finta di lavorare, salì ancora di più il nervoso.

«No, oggi deve stare dal barbiere tutto il giorno perché il manager ha un impegno.»

«È davvero tutto molto interessante, ma che ne dici se me lo racconti fuori di qui?»

L'ora della chiusura era però ancora lontana, e così la Patti pazientò osservando le acrobazie di Russell & Crowe, e pian piano si fece coraggio.

Appena rimasero un attimo sole si avvicinò a Ornella in punta di piedi, le appoggiò una mano sulla spalla, si guardò in giro per essere sicura che non ci fosse nessuno, e dopo una piccola esitazione le sussurrò: «Axel sta morendo».

23

Tra barba e capelli, Diego sperava sempre che gli chiedessero di fare i capelli.

Perché aveva maggiore controllo sugli occhi dei clienti e quindi poteva rimediare più facilmente alla prima espressione di terrore che compariva sul loro volto. La barba sembrava un'operazione più semplice, ma gli errori erano più difficili da correggere: come lo allunghi un pizzetto se l'hai appena sbagliato? E se aveva dubbi su come stesse andando, suo nonno gli diceva che il cliente scontento lo senti dalle spalle: "Uaglio', se non gli piace cosa stai facendo s'irrigidisce, e appena può si tocca la testa". Quindi era sempre lì a vigilare sulla schiena del signore di turno per capire se era contento oppure no.

Quel pomeriggio il negozio era tutto suo e lui già si vedeva padrone della via: da un lato la libreria, di fronte il negozio di barbiere, e presto avrebbe acquisito anche Paul's, la gioielleria, l'agenzia immobiliare, Julie e le sue piante e il pub in fondo alla strada. Altro che Harrods: sarebbe diventato il nuovo Mohamed Al-Fayed di Londra.

Se fosse stato ricco, sarebbe stato insopportabile, già lo sapeva, quindi era contento del suo precariato in sterline, che rispecchiava il suo precariato sentimentale.

Furono ore piuttosto tranquille, anche se dalle cinque in poi tutti sentirono la necessità del suo "tocco magico", come amava dire lui.

Uno degli ultimi clienti aveva una cinquantina d'anni e apparteneva alla categoria che nessuno vorrebbe: quelli affezionati a un altro barbiere.

Diego, però, anziché andare in affanno, pensava a quanti problemi inutili si faceva la gente, e se ne fregava: "pienz' a salut" gli diceva suo nonno. Si concentrava, si sforzava di sorridere, chiedeva sempre "allora come li facciamo?" e, se commetteva qualche errore, diceva "*sorry sorry*".

Il messaggio di Carmine lo aveva sconvolto, ma la decisione di non rispondergli lo aveva quasi convinto di essere guarito. Era stata però una dura lotta con se stesso, che gli era costata una notte insonne.

Il cliente, vedendolo sbadigliare, era sempre più sospettoso, e ogni volta che Diego avvicinava le forbici alla sua testa si metteva quasi sull'attenti, accompagnando ogni ciocca caduta con una specie di sospiro.

Ma lui non demordeva e, complice l'assenza del manager, si teneva sveglio sentendo in streaming la partita di ritorno di Coppa del Napoli. Ogni tanto diceva "tutto ok?", convinto com'era che gli italiani stessero simpatici a prescindere, mentre il signore rispondeva "*yes*" con lo stesso entusiasmo di un bambino a una mensa scolastica.

L'Italian Bookshop di fronte era il polmone verde di Diego. Anche se, da quello che vedeva, il clima non doveva essere troppo allegro quel giorno: Clara spariva spesso nel retro e Ornella faceva cadere troppi libri, inseguita dalla Patti, che per lui era un'altra grande attrice di sceneggiata.

Appena il suo cliente andò via – senza lasciare la mancia – lui uscì a fumarsi una sigaretta, anche perché era troppo teso per l'esito della partita. Erano ai supplementari e lui preferiva distrarsi un attimo. Anche Julie in quel momento era fuori dal suo negozio e stava indicando delle piante a una signora. Tirava su ciclamini fioriti, bouquet, piccoli cactus. Doveva trattarsi per forza di un regalo.

Dopo una serie di "no" con la testa, la signora andò via senza acquistare niente, e i due si guardarono a distanza pensando che non fosse giornata.

Diego aveva il cuore infranto ma la scrutava con la stessa sicurezza che gli aveva dato la ragazza burrosa, e tirò di nuovo il mento in fuori. E così fu Julie che, poco abituata a qualcuno che non corresse da lei, gli si avvicinò per un istante.

«Non vieni più a trovarmi perché hai paura che ti faccia spendere troppo?»

Diego rimase a bocca aperta.

«Ma che dici?»

«Avevi una faccia l'altro giorno quando hai visto lo scontrino che non me la scorderò mai... sembravi l'attore di *The Artist*! Ma potevi dirmelo che non avevi soldi!»

«No, guarda che qua ti stai facendo dei film che non esistono. Io sono espressivo di mio perché sono napoletano, e da noi le cose si sottolineano... ora non so dire bene "sottolineare" in inglese...»

«Non ti preoccupare, ho capito. Sei il solito italiano orgoglioso e permaloso.»

«Ma che ne sai tu degli italiani?»

«Il fidanzato di mia sorella basta e avanza.»

«Ah, Nunzio... come sta?»

«Forse dopo passa di qui a trovare Anastasia.»

«E allora digli che lo aspetto per fare uno shampoo da me.»

Julie scappò via e Diego, vedendola in mezzo alla gente, pensò che potesse essere la ragazza giusta per lui. Era dolce, semplice e intelligente. Ma quando fai la lista delle qualità non è mai un segnale incoraggiante per una storia: il vero amore non sa mai rispondere ai perché.

Ornella era uscita un attimo dalla libreria, quando li aveva visti confabulare. Aveva bisogno di fuggire e distrarsi. La notizia di Axel l'aveva sconvolta e non sapeva come affrontarla se non nel modo che le era venuto sempre naturale: fuggire. Diego la vide immobile in strada e la raggiunse.

«Allora, che succede?»

«Niente, dài.»

«Vi manco oggi?»

«Molto. Ci siamo tutte affezionate a te.»

«Be', Clara non mi sembra proprio.»

«Ma lei è fatta così. Senti, volevo parlarti di una cosa...»

«Dimmi.»

Ornella stava per prendere la rincorsa e raccontargli la sua angoscia, ma riuscì a fermarsi in tempo. Non aveva alcun diritto di intristire un ragazzo che conosceva da poco, che le era simpatico e che la guardava con gli occhi più dolci del mondo, anche se cercava solamente di sentire la partita.

«Allora, che succede?»

«Ehm... Volevo chiederti... mi puoi cambiare dieci sterline in moneta per la libreria?»

Disse la prima cosa che le venne in mente, ma Diego la prese alla lettera. La fece entrare in negozio, che in quel momento era occupato solo dal contropiede del Napoli. Digitò il codice, aprì la cassa, contò le monete e quando gliele consegnò, Ornella si rese conto di non avere la banconota da dieci, per cui tornò in libreria a prenderla, sotto gli occhi perplessi di Clara e della Patti, che la osservavano preoccupate. Era sull'orlo della disperazione e si aggrappava a quella banconota come se fosse la sua unica ragione di vita.

Appena si ripresentò dal barbiere, trovò Diego con addosso il giubbotto, pronto ad andare via. Il suo sguardo era teso e irriconoscibile.

«Ornella ti devo chiedere un favore, e scusami se non ti do preavviso, ma si tratta di un'emergenza.»

«Oddio, non ti senti bene? Attacco di panico? Vado a prendere l'Ansiolin.»

Quel problema la distrasse subito dal suo.

«No, no. Il Napoli... la partita finisce ai calci di rigore.»

«E allora torni a Napoli?»

«Ma che dici, Orne', stai fuori... faccio un salto al pub, che lì la trasmettono di sicuro... è Europa League, capisci? Vedo i rigori e torno. Ti giuro... solo dieci minuti. Tu intanto prega 'a maronn' e stai qui a fare la guardia, così vedi la tua libreria da un'altra prospettiva.»

Ornella era così spiazzata che accettò suo malgrado. Preferiva stare lontano dalla Patti perché le diceva cose che non voleva sentire. Entrò in quel nuovo ambiente che aveva sempre osservato da fuori e cominciò a curiosare tra phon, forbici e schiume da barba. Stava in piedi, sola e un po' impacciata, quando vide arrivare Nunzio, il ragazzo calabrese.

«Ma lei non è la libraia?»

«Sì, ormai con la crisi tutti fanno tutto. Io sto dando una mano a Diego, che in questo momento è... impegnato... ma tra poco arriva...»

«Tanto mi serve giusto una spuntatina, quindi può iniziare a fare lo shampoo.»

Lavare la testa a qualcuno era sempre stato uno dei sogni di Ornella, ma mai avrebbe pensato che glielo potessero chiedere sul serio. Si affacciò per vedere se Diego spuntasse all'orizzonte, invece niente. I rigori sanno essere lunghi e traumatici, ma lei era fiduciosa. Nunzio cominciò a sembrare impaziente e a sbuffare con la solita presunzione degli arricchiti.

Lei era tentata di dirgli che suo marito stava morendo e che la sua fretta in quel momento era ridicola e inopportuna, ma per parlare di certe questioni ci vuole tanta forza, e lei non ne aveva. Andò nel panico e capì che doveva ingegnarsi e fare qualcosa. Più che altro, non voleva più rientrare in libreria per affrontare la realtà.

Cercò di ricordarsi i gesti che aveva sempre visto fare in quel negozio, come un robot. Chiese a Nunzio di accomodarsi sulla poltrona, gli mise addosso un asciugamano cercando di essere naturale, aprì il rubinetto, chiese "va bene l'acqua?", e improvvisò un lavaggio. Mentre gli massaggiava le tempie, pensò che era proprio una sciampista nata.

Nunzio chiudeva gli occhi sforzandosi di rilassarsi, ma era preoccupato dall'impressionante quantità di schiuma.

Quando finalmente arrivò Diego urlando di felicità – il Napoli aveva vinto sette a sei! – trovò Ornella con gli occhi persi nel vuoto senza sapere più cosa fare, e Nunzio che lo salutava come il suo salvatore. Prese un asciugamano pulito e lo passò alla "sciampista" senza fare commenti: si sentiva in colpa ma, soprattutto, gli veniva da ridere. Per la prima volta era lui a insegnarle qualcosa. Le disse che per quel giorno aveva già dato e le consigliò di tornare in libreria. Lei sarebbe restata tutta la sera a lavare teste, ma non era possibile. Doveva affrontare la realtà.

Rimasto solo, Diego si poté dedicare con calma alle basette di Nunzio, che era di fretta, ma troppo educato per darlo a vedere. Il linguaggio del corpo un po' lo tradì, e Diego fu più celere del solito. Si sentiva in soggezione con lui, per il fatto che gli ricordava Carmine.

Al momento di pagare, gli indicò gentilmente la porta. Nunzio provò a insistere tirando fuori una manciata di banconote, ma alla fine dovette accettare il regalo.

Prima di uscire gli disse solo: «Non si fa così e non finisce qui».

24

Il quartiere di Camden Town è da sempre un sogno per gli adolescenti di ogni età. Il mercato, i fricchettoni, il sentirsi parte di un mondo più grande. Pur essendo confinante, è diametralmente opposto a Hampstead, e forse per questo Ornella aveva deciso di vivere proprio lì, a un passo dalla tentazione e dal pericolo. Come se non volesse dimenticare che il baratro, se vuoi, è sempre a un passo da te.

Ci era sprofondata a Verona da giovanissima e si chiamava eroina.

Per dieci anni nella sua vita c'era stato spazio solo per la droga. Era la confidente, la psicologa, l'infermiera, l'amante, l'angelo e diavolo. Era lei che l'aveva unita in matrimonio con Axel, ed era lei la causa della loro separazione.

Arrivata all'ultimo bivio, Ornella aveva dovuto scegliere se lasciarsi andare – e morire – o provare a salvarsi.

Una sera, in uno di quei rari momenti in cui riesci a guardare in faccia la realtà, si era resa conto che stava aspettando uno spacciatore insieme a gente così brutta, che si era chiesta: "Che ci faccio qui?".

Sembravano mendicanti in attesa degli avanzi, e quando finalmente la roba era arrivata, lei aveva salutato tutti dicendo: "Domani non ci vediamo più".

Nessuno le aveva creduto, e forse non ci credeva neanche lei. Ma ormai l'aveva detto, e cercò con tutte le forze rimaste di essere fedele a se stessa.

Così aveva affrontato la sfida più grande, quella della disintossicazione. Era finita prima in un ospedale psichiatrico, circondata dai matti: i suoi preferiti erano una ragazza che aspettava tutti i giorni una telefonata dalla Carrà e uno schizofrenico che le dava sempre ragione.

Qualcosa era cambiato nella sua testa grazie a una suora cattiva, che ce l'aveva con tutti, ma Ornella le stava simpatica: ogni giorno le regalava una mela o un biscotto o un'attenzione che la faceva sentire unica.

Il tempo in quel periodo era così vago che lei non avrebbe mai saputo dire quanto fosse stata lì: una settimana, venti giorni, sei mesi.

Ricordava solo che una mattina aveva varcato il cancello di una comunità, in Toscana. Ed era stato lì che aveva incontrato la Patti, anche lei caduta nella trappola dell'eroina, solo un po' meno. Si erano ritrovate a nuotare nel fango e, anziché disperarsi, avevano provato a ridere, anche se non c'era niente su cui scherzare. E a dispetto di tutte le regole della comunità, in cui esisti solo tu e nessun altro – non c'è spazio né per l'amicizia né per l'amore –, loro erano diventate sorelle a prima vista.

"Io mi salverò solo se ci salviamo insieme" avevano pensato all'unisono, senza dirselo mai, ma tenendolo sempre a mente.

La Patti ci aveva messo due anni, a venirne fuori. Ornella dieci, ma non si erano mai perse, né di animo né di vista, malgrado la distanza, malgrado tutto. Perché se lo vuoi, non ti perderai mai.

La Patti aveva capito che Ornella sarebbe stata finalmente libera solo quando avesse affrontato il fantasma di Axel. Lui che non si era mai voluto disintossicare e che l'aveva tentata fino all'ultimo sapendo quanto era vulnerabile, come tutti gli egoisti che sono invidiosi delle tue vittorie.

Axel che ora giaceva in un letto di ospedale, impotente davanti al poco che gli restava da vivere. Lui che credeva di inculare il mondo, aveva perso ogni speranza ma non la lucidità, che gli faceva chiedere continuamente di Ornella. Della sua Ornella.

Neanche lei lo aveva dimenticato, e lo amava pur sapendo che l'altro non avrebbe mai ricambiato quel sentimento nella stessa maniera.

Ora che Axel era in fin di vita, ripetere il suo nome e non quello delle sue ultime compagne era un modo per dirle quanto era stata importante per lui. In fondo lei ne era certa, ma non aveva più voglia di piangere.

Invece quella sera versò tutte le sue lacrime sulla spalla della Patti. Si erano sedute allo Hawley Arms, il pub dove andava sempre a bere Amy Winehouse. Se sei passato indenne dalla droga, i tossici ti faranno sempre un po' pensare e un po' soffrire.

A Londra Ornella ne aveva trovati tanti, che le tornarono in mente tutti insieme mentre nelle orecchie le risuonava *Back to black* e i suoi occhi s'inumidivano di nuovo. La Patti non piangeva e anzi aveva una rabbia tremenda che cercava di sedare. Era lucida come nelle occasioni importanti: lei non esisteva più. In quel momento poteva avere la cellulite, le scarpe basse, la ricrescita e il conto in rosso. L'amicizia per lei era dimenticarsi degli specchi e guardare solo la persona a cui vuoi bene.

Le due donne si sedettero vicino al camino, anche se era spento, perché certi freddi sono difficili da affrontare pure in primavera.

«Dimmi se pensi di smettere di piangere entro la mezzanotte.»

«Spero di sì... Scusami, Patti, lo so che non dovrei comportarmi così, ma è più forte di me.»

La Patti si guardò un attimo intorno minacciando con lo sguardo tutti i curiosi che le osservavano come se fossero l'attrazione del locale. Poi riprese a parlare con il tono più duro di cui era capace.

«Devi piantarla di chiederti perché tu ce l'hai fatta e lui no.

Credi di essere onnipotente? Credi che basti un fioretto e una promessa alla Madonna per cambiare la vita degli altri? Tu sai meglio di me che a volte non basta nemmeno la nostra buona volontà.»

«Quindi cosa vuoi che faccia?»

«Innanzitutto voglio che tu dia almeno un sorso a questa birra.»

«Ma perché non beviamo un prosecco?»

«Tu mi hai sempre detto che nel pub di Amy si beve solo birra per tenere vivo il suo ricordo!»

«Uh, è vero. Già mi stavo dimenticando di Amy.»

«Ecco, ora piangiamo anche per lei.»

Ornella emise un sospiro profondo e si lasciò andare contro la spalliera del divano, pronta a sentire le parole che la Patti le ripeteva come un martello.

«Piantala di dover espiare le colpe del mondo. Ti sei fatta dieci anni di comunità. D-I-E-C-I. Per ritrovare te stessa hai perso un sacco di cose... Non hai avuto neanche modo di stare con i tuoi. Hai già espiato abbastanza.»

Ornella diede un lungo sorso alla sua birra e sentì che le forze non l'avevano ancora abbandonata. Se fosse stata un fiore, le sarebbe piaciuto essere la ginestra di Leopardi.

«Perché credi che debba rivedere Axel?»

«Perché tu quel conto non l'hai chiuso. E anche se io l'ho odiato con tutta me stessa ogni volta che ti voleva riportare all'inferno, credo che a modo suo lui ti abbia amato... quasi quanto la droga. Infatti, ora che è costretto a starne fuori, chiede solo di te.»

Ornella aveva il cuore in subbuglio, ma una fiducia incondizionata nel destino che le aveva sempre fatto incontrare le persone migliori nei giorni peggiori.

Si concesse un altro po' di birra, e si rese conto che attorno a quel bancone c'era un mondo di persone che la stava fissando. "Perché devo piangere qui?" si disse, e provò a reagire.

Le pareti del pub erano piene di foto, dischi in vinile e dediche. E proprio in mezzo a quelle leggende della musica, la Patti convinse Ornella ad affrontare l'ultimo dei suoi spettri. Le accarezzò i capelli come aveva fatto tante volte, in quei giorni sempre uguali in cui immaginavano il loro futuro al di fuori della comunità. Era sempre la Patti a fantasticare sulla loro fuga, perché la sua amica avrebbe preferito restare in quel mondo protetto per tutto il resto della sua esistenza.

«Mi pare di capire che vuoi che vada a trovare Axel a Verona.»

«Sì, è importante. Ti accompagnerò io, saremo insieme, ti sarò vicina.»

«Ma se poi sto peggio?»

«Non puoi stare peggio di così. Tu fingi di attaccarti al presente, alla libreria, ai tuoi piccoli problemi... ma finché non saluterai quell'uomo, non ne uscirai viva. E io con te. Perché se tu stai male, io sto peggio.»

La Patti non era più la compagna di sbronze felici, l'amica ridanciana che sogna di volare alle Maldive con un cappello rosso e un amante indiano. Era il faro che ti dice dove andare quando non ti accorgi di essere nella tempesta. Perché sono in pochi, al mondo, a intuire perfettamente come stai. Solo gli amici speciali, le mamme o i grandi amori.

Ornella la guardò e l'ossigeno tornò a riempirle i polmoni. Lasciò di nuovo cadere la testa sulla spalla della Patti e rimase qualche minuto ad annusare il suo profumo.

Finirono la birra, pensando a un posto dove portare Samir la sera dopo.

«Io non ti dico niente, Patti. Solo due parole: tuo marito.»

«Mamma mia, che stress... Sei la regina dei sensi di colpa.»

«Almeno sono la regina di qualcosa!»

«Piantala, tanto lo sai che alla fine non succederà nulla.»

«Nel caso, non dirmelo. Anzi dimmelo, ma senza i particolari.»

«Sei così bigotta che ti prenderei a sberle... ma non lo farò.»

Ornella finalmente sorrise. A un certo punto, quando vide un gruppo di persone avvicinarsi al microfono, si rese conto che erano capitate a una serata karaoke.

Per omaggiare Amy e la sua amica, la Patti decise di lanciarsi. Era sempre stato uno dei suoi sogni esibirsi dal vivo davanti a una platea di sconosciuti. Come sempre, aveva sottovalutato la situazione. Già mentre si avviava sentì un po' cedere le gambe. Si sistemò il vestito e cercò di ricordarsi cosa dicevano i cantanti ai concerti, per cui dedicò il pezzo *"to wonderful Ornella"* indicandola davanti a tutti come se fosse sul palco del Live Aid. Poi provò a cantare *Love Is A Losing Game*. Fu un'esecuzione così disastrosa che ricevette solo applausi di commiserazione.

Ornella però non se ne accorse e la trovò una performance indimenticabile. Era la prima volta che qualcuno le dedicava una canzone.

Uscirono imbarazzate, e la Patti si nascondeva il volto con le mani, come se volesse schivare i paparazzi. Una volta fuori si aggrapparono l'una al braccio dell'altra e andarono in giro per il quartiere ancora pieno di sogni e di luci. Camminavano a zigzag, mentre i ragazzi le sorpassavano isolati nelle loro cuffie. Girellarono tra le bancarelle e i negozi aperti, e stettero mezz'ora dentro uno stand indiano perché la Patti voleva indossare qualcosa di tipico in vista della cena con Samir. Ma non riuscivano a essere spensierate come avrebbero voluto.

«Se hai deciso di partire, Orni, dobbiamo muoverci perché non so per quante settimane ne avrà Axel. Sua sorella ha detto che è piuttosto grave.»

«Che ne pensi di domani?»

Ornella non aveva mai mezze misure.

«Amica mia, sono appena arrivata... e domani c'è il reading!»

«Patti deciditi. Prima mi dici che non abbiamo tempo, poi vuoi rimandare.»

«Hai ragione. Però aspettiamo un paio di giorni, che dici? Vedrai che Axel non se ne andrà.»

«E perché?»
«Perché non può fare lo stronzo proprio adesso. Tu domani hai la presentazione in libreria e io la cena con Samir.»
«Non sono proprio la stessa cosa. La libreria ha bisogno di me, e io non l'ho mai lasciata in tutti questi anni... neanche con la febbre.»
«Invece devi. Hai Clara. Hai il ragioniere. E non hai alternative.»
«Credi che ce la farò?»
La Patti si fermò, prese Ornella e la portò in un angolo buio e lontano da tutti.
«Lo sai perché sono diventata tua amica? Perché ho capito subito che eri un cavallo di razza, e io volevo vincere. Tutte le volte che pensi di essere una fallita, sappi che se io non ti avessi incontrato mi sarei suicidata vent'anni fa. Quindi, ti prego, fidati di me. Domani concediamoci una tregua e poi andiamo a Verona.»
«Va bene, ma adesso vorrei tornare a casa.»
Aspettarono il bus alla fermata e tornarono a Hampstead cercando di distrarsi. Una vecchietta leggeva assorta un romanzo, noncurante di un gruppo di spagnoli che non stavano zitti un secondo. La Patti evitò di accennare a Ornella che anche i suoi genitori volevano vederla. L'aveva cercata personalmente sua madre, e voleva che sua figlia tornasse a Verona. Ma essere amici significa sapere, innanzitutto, quando tacere.

25

Dormirono abbracciate come sorelle.

Quella notte scherzarono meno del solito, soprattutto perché la Patti aveva iniziato subito a russare e Ornella era rimasta in compagnia del soffitto. Si sentiva sollevata per aver preso la decisione di tornare a Verona, "il natio borgo selvaggio", come lo chiamava lei. Una città con cui non si era mai riconciliata, ma che spiava da lontano sugli articoli del "Times", e spesso curiosava su internet per vedere com'era cambiata. Che poi erano ricordi così pieni di rumore che lei faceva una certa confusione. Perché fare uso di eroina per dieci anni altera anche la memoria, come se vivessi in un incubo perenne con pochi momenti di pace: appena ti sei fatto.

Ornella si alzò prestissimo, cercò di dare una parvenza di ordine alla cucina, preparò un tavolino con la colazione come si farebbe i primi tempi con un fidanzato, lasciò un biglietto di buongiorno, si preparò in fretta e uscì.

Non alzò nemmeno la testa per vedere se Bernard era lì per sapere quando sarebbero andati insieme a cena. Non era stato poi così fortunato a incontrarla in un periodo tanto delicato. O forse era quello l'unico momento in cui si sarebbero potuti trovare.

È la sottile differenza tra caso e destino, e credere all'uno piuttosto che all'altro dice molte cose di te: se sei romantico, ottimista, cinico o disilluso. E Bernard era un inguaribile romantico.

Ornella invece era un'indecisa cronica e l'unica cosa che poteva fare era accelerare il passo, mentre le case intorno a lei erano così piene di colore da sembrare vive.

Arrivò al parco che il sole si era appena levato e l'aria profumava di bosco. Per una volta, decise di non andare alla sua panchina, ma di fare una passeggiata cercando di non perdersi. Dopo una prima discesa, le si aprì davanti uno spiazzo verde che sembrava un'oasi di paradiso. Lì in mezzo, un uomo camminava come se si muovesse al ralenti. Ornella gli si avvicinò fino a che lo mise a fuoco.

«Mr George! Mr George!» cominciò a gridare come un naufrago in mezzo al mare. Lui parve un po' spaesato prima di capire da dove arrivasse quella voce, ma quando la trovò si sbracciò in un "*hello*" che aveva sempre sognato fare. Ornella aveva il potere di tirare fuori il lato più nascosto delle persone.

Lei non sapeva che tutte le mattine, pioggia permettendo, Mr George faceva quattro passi per tenere in forma le gambe, le braccia e la mente. Gli andò incontro.

«Buongiorno, che sorpresa, non pensavo di vederla qui.»

«Quello sorpreso sono io. Credeva che vivessi solo su quella panchina, vero?»

Ornella scoppiò a ridere.

«Un po' sì. Quando non la trovo lì penso sempre che le sia successo qualcosa.»

«E fa bene. Perché appena posso, io ci torno. Non gliel'ho mai detto, ma quella era la panchina su cui mi sedevo con mia moglie. Ci venivamo anche quando lei stava male, quando stava perdendo le forze... Prima di andarsene, una sera in cui vide quanto ero addolorato, mi disse: "Quando non ci sarò più, se avrai nostalgia di me, torna sulla nostra panchina". E così ho preso l'abitudine di leggere lì, anziché a casa.»

«Dov'è andato stamattina?»
«Ho provato ad arrivare a Parliament Hill, ma alla fine sono tornato indietro.»
«Troppa fatica?»
«No, troppo dolore... Lì ho dato il mio primo bacio proprio a lei, e ne ho un ricordo così bello che ho paura di rovinarlo. Per questo non ci torno mai. Poi però, quando vedo il cielo così azzurro, sono tentato.»
«Io ci sono stata domenica con Bernard...»
«E si è divertita?»
«È scoppiato un acquazzone e ce lo siamo beccato in pieno.»
Mr George scosse la testa sorridendo. Gli piacevano i discorsi di Ornella, perché quando ne cominciava uno non finiva mai con lo stesso tono.
Così all'improvviso lei gli chiese se aveva voglia di fare altri due passi e lui accettò, perché aveva bisogno di compagnia. Non si era scandalizzato del suo passato da tossicodipendente, anzi era curiosissimo di ascoltare quella sua vita dissipata con Axel. Mr George era l'unico a cui lei avesse raccontato di quando erano andati a Bombay e appena arrivati, al mattino, si erano chiusi in un posto a fumare oppio: erano usciti alle undici di sera. E subito dopo Axel, che si sentiva un grande musicista, aveva comprato un sitar gigante che si sarebbero dovuti trasportare per tutta l'India. A ogni risveglio, speravano sempre che qualcuno gliel'avesse rubato, ma niente. Quel sitar non lo voleva nessuno.
«Ornella, non mi ricordo mai quando vi hanno arrestato in Germania.»
«Come fa a ricordarlo se non lo so neanche io?»
«Ma gliel'ho detto che con me può anche inventare, perché è il sapore delle cose che mi affascina, non gli ingredienti precisi...»
«Ci eravamo imbarcati a Bombay pieni di oppio che volevamo vendere, e io avevo avuto la brillante idea di confidarmi con un

ragazzo che avevo conosciuto in aeroporto. Gli avevo proprio spiegato nel dettaglio il nascondiglio della droga. Ovviamente era un tossico che informava la polizia... Arrivati a Francoforte, ci hanno fermato... *Polizei! Polizei!*»

«E lì Axel si prese tutta la colpa.»

«Sì... quello è stato il suo gesto d'amore. Anche se in realtà lo fece perché era terrorizzato all'idea di affrontare i miei genitori. "Meglio il carcere della suocera" diceva!»

«Però è stato in quel momento che lei poi ha deciso di entrare nella "comunità di disintossicazione".»

Mr George riusciva ad avere la proprietà di linguaggio di un professore, alternando le domande ai silenzi.

Dopo un po' decisero di sedersi da un'altra parte, per una volta. Avevano bisogno di un territorio neutro dove appoggiare le loro emozioni.

Ornella gli confidò senza remore che sarebbe tornata a Verona per vedere Axel in ospedale.

«Quindi è arrivato alla fine, come lei sospettava.»

«Sì.»

«Quando è venuto a trovarla qui l'ultima volta?»

«Forse cinque anni fa... Voleva soldi, come sempre. Io lo portai a mangiare fuori, gli comprai dei vestiti, ma soldi non gliene riuscii a dare. Sapevo dove sarebbero finiti, e quella era la mia unica forma di protesta.»

«Lei Ornella è una donna forte, come quegli alberi che crescono sulle rocce. Mi ricordo di uno scoglio, vicino a Portofino... lo chiamavo "lo scoglio dell'albero coraggioso". Chissà se c'è ancora. Era un pino piccolissimo, cresciuto sulla pietra. E lei ha lo stesso carattere.»

«Non è vero. Io sono fragile.»

«Solo i forti lo ammettono. Si fidi di me, che ho vinto una guerra. Ci siamo riusciti perché sapevamo di essere vulnerabili.»

«Dice che quindi faccio bene ad andare a Verona?»

Mr George ci pensò un attimo, perché non amava le risposte affrettate.

«Per me è una splendida notizia. Accanto ad Axel è stato un inferno, certo... ma è la vita che lei stessa ha scelto, Ornella. E probabilmente all'epoca non ne avrebbe voluta un'altra.»

«È vero. Io volevo essere così. Io ero innamorata di quel mondo in technicolor. La doccia all'epoca non me la facevo a casa ma sotto un irrigatore che annaffiava i campi in autostrada, capisce?»

«Vada a Verona, Ornella. È sempre un *big* privilegio salutare le persone. Com'è che si dice *big* in italiano?»

«Grande.»

«Certo. Grande! Io non sono riuscito a farlo con mia moglie... Per questo lei ci deve andare di corsa.»

«Lo farò.»

«Ornella, ma a che ora apre la libreria?»

«Alle nove.»

«Quindi adesso ci dev'essere qualcuno.»

Ornella balzò in piedi scioccata.

«Oddio no! Anche oggi in ritardo no. E abbiamo pure la lettura per il pubblico. Mi dica che verrà...»

«Naturalmente. C'è bisogno della prenotazione?»

«Le tengo io un posto in prima fila. Sarà un grande onore per noi averla lì.»

Si salutarono in un modo un po' insolito, come se avessero paura che le ultime confidenze potessero mettere a rischio il loro rapporto. Lei avrebbe voluto rivelargli quanto era contenta di averlo conosciuto, ma alla fine si trattenne. Non potevano dirselo, di essere amici. Potevano esserlo e basta.

Ornella tornò verso la libreria con la solita andatura tra lo spedito e il disperato che la rendeva inimitabile ogni volta che i negozianti la vedevano passare. Julie provò a fermarla, ma lei fece cenno che non era proprio il momento.

Clara l'accolse con il solito borbottio e una tabella di marcia che Diego aveva impostato su Excel per facilitare il loro lavoro. Lo scetticismo con cui lei guardava quel foglio fece venire a Ornella nuove preoccupazioni, anche perché dovette comunicarle che sarebbe tornata per qualche giorno in Italia.

«Bene» rispose Clara, senza aggiungere altro.

La giornata corse via veloce, interrotta solo da periodiche telefonate della Patti, divisa tra i sensi di colpa di uscire a cena con Samir e il desiderio di mettersi il sari per l'occasione.

Alle quattro era tutto pronto, anche i biscotti al burro. Più che una libreria, stavolta sembrava una pasticceria.

La Patti fece il suo ingresso abbigliata come una danzatrice del ventre e a Diego ricordò certe signore napoletane. Poco prima dell'incontro arrivarono la signora Lovely, acchittata come se dovesse andare a teatro, e Mr George, con tanto di quaderno e penna.

Diego si affacciò più volte su Flask Walk ed era tentato di fermare i passanti. Gli tornò in mente che tutti i clienti che aveva contattato non gli avevano detto proprio "*yes*" ma "*interesting*", interessante, che spesso è solo un modo garbato per declinare l'invito. Al terzo colpo di tosse della signora Lovely, lui decise di cominciare la sua lettura ad alta voce. Aveva davanti due persone. Tre con la Patti, che con il sari occupava quasi una fila. Quattro con Clara, che gongolava, ma non voleva darlo a vedere. Cinque con Ornella, che sembrava davanti all'apocalisse.

Mr George e la signora Lovely, invece, ascoltarono con grande attenzione, mettendo ancora più a disagio Diego, che continuava a chiedersi cosa non avesse funzionato. Alla fine, Mr George acquistò una copia del *Pizzaiolo* e la signora Lovely due: voleva regalarlo a un'amica. Davanti a file di sedie vuote, di bicchieri di plastica e di vassoi di biscotti intatti, Ornella si rese conto che neppure Bernard aveva accettato l'invito.

26

Le cadute fanno sempre male, soprattutto quando sei a un passo dalla vittoria.

Così si sentiva Diego dopo la presentazione disastrosa in libreria, sebbene la Patti cercasse di trovare il lato positivo: su due spettatori, tre libri venduti. Ma lui non si dava pace, anche se sembrava distaccato. Ci teneva più di quanto desse a vedere e continuava a ripetersi sottovoce: «Che figur'e merd', che figur'e merd'!».

Interpellata dalla Patti, Clara si espresse dicendo: «Agli inglesi non si telefona alle sette di sera tre giorni prima» usando il tono di voce che si ha con i pazzi.

Diego incassò il colpo, la Patti smise di pensare al sari e Clara chiese delucidazioni a Ornella sulla sua imminente partenza. Lei ci mise un po' a rispondere, anche se aveva già deciso. Si alzò in piedi e parlò a tutti perché stava parlando soprattutto a se stessa.

«Ragazzi, ci sono momenti in cui qualcuno ha bisogno di te e devi interrompere ciò che fai... E anche se io non sono pronta, anche se non ho la testa, lo devo fare. Non so quanto tempo dovrò stare via, e mi fa molto strano lasciare un posto come questo, cosa che mi capita solo se ho la febbre a trentanove! Perché la libreria è parte di me... Io sono gli scaffali, l'acquario, il poster di

Nanni Moretti... io sono questi libri anche quando li dobbiamo rimettere dentro gli scatoloni. Ma quello che più mi rende felice è sapere che l'Italian Bookshop lo sentite vostro, anche solo per un pezzettino. So che con voi è in buone mani. Tu, Clara, hai le braccia e l'entusiasmo di Diego, e pazienza se non va tutto come previsto...»

Il guerriero abbattuto provò a sorridere.

«... E tu, Diego, hai Clara, che è una signora libraia. Nessuno conosce gli inglesi meglio di lei, e sono sicura che insieme farete un grande lavoro.»

Clara la fissava così intensamente che Ornella dovette abbassare lo sguardo e il tono. La Patti stava defilata e pensava di avere delle scarpe un po' troppo frivole per il momento.

«Comunque ci rivediamo domattina così chiariamo meglio le questioni tecniche. Ora che ne dite di una tazza di caffè e poi liberi tutti?»

Diego annuì spaesato, mentre Clara sembrava perplessa. Era ferita, perché pensava di meritare un discorso più personale, invece era stata messa sullo stesso piano dell'ultimo arrivato. Strinse i pugni in silenzio e cominciò a darsi da fare, compiendo un gesto che lasciò tutti di stucco: andò nel retrobottega e mise su la moka. Non aveva mai bevuto un caffè, e quello fu il suo modo di protestare: prepararlo per tutti. Lei che aveva sempre sognato una vita da solista, ora che aveva la grande occasione era stata retrocessa a ragazza del coro. Ovviamente nessuno se ne accorse, tranne Ornella, che però non se la sentiva di discutere la questione.

Decidere di tornare in Italia l'aveva spossata e non sapeva bene cosa avrebbe significato per lei. Verona era una grande incognita, che avrebbe affrontato al momento. Era quella la sua filosofia: non la prevenzione ma solo la cura, anche se dolorosa.

Per fortuna la serata con la Patti l'avrebbe distratta. Ma si era dimenticata che la sua amica aveva la cena con l'autista indiano, che la passò a prendere in libreria di lì a poco. La Patti salutò tutti come se dovesse esibirsi al Crazy Horse e si vide costretta a salire davanti, felice di uscire con un ragazzo che la scarrozzasse per Londra. Non aveva messo in conto che lui la considerava una ricca signora come tante, non una potenziale ereditiera, per cui la serata sarebbe stata all'insegna dell'equivoco su chi dovesse pagare il conto.

Rimasta sola, Ornella sentì il peso delle sue ultime decisioni. Una stanchezza che le colpì le gambe e che niente avrebbe potuto lenire.

Quando vide il suo cipresso ripensò a Bernard, e un po' s'irrigidì. Anche lui l'aveva tradita, sparendo, tipico esempio di inglese che ti sorride davanti e ti accoltella dietro.

In realtà, nel pomeriggio lui era passato davanti alla libreria, ma quando aveva visto il locale semideserto aveva pensato di non entrare per non metterla in imbarazzo. Solo che non glielo aveva detto, e lei non poté intuirlo. I fatti senza parole non sempre servono a qualcosa.

Ornella entrò in casa e si sentì più sola che mai. Neanche la Golden Card che finalmente era arrivata nella buca delle lettere riuscì a strapparle un sorriso.

La verità è che non sapeva come avrebbe reagito nel rivedere Axel dopo tutti quegli anni. Ma per guarire nel cuore bisogna aprire gli occhi, questo aveva imparato in comunità, e questo avrebbe fatto.

Si sedette sulla sua poltrona rossa, riprese in mano *Orgoglio e pregiudizio*, lo aprì a caso e cominciò a leggere. Lo conosceva talmente bene che non aveva bisogno di seguire la storia in ordine cronologico. Le bastavano poche righe ed era di nuovo nel mondo di Jane Austen, cui sentiva di appartenere a ogni riga. Amava Lizzie con tutta se stessa perché era come lei: un'eterna seconda. Se fosse esistita e si fossero incontrate, sarebbero diventate amiche, ne era certa. Chissà com'era l'amicizia nell'Ottocento, si chiedeva, se era un sentimento importante oppure si era amici solo tra parenti, come al Sud. La bellezza di quelle pagine l'allontanò per un attimo da tutto. A volte, per viaggiare, basta stare seduti comodamente davanti a una finestra.

27

Nel pieno della notte Ornella si svegliò di soprassalto con l'impressione di essere all'Opera. In effetti, lo era. La Patti era rientrata dopo la serata con Samir e, anziché andare a dormire, aveva messo su *Il barbiere di Siviglia* a tutto volume – anche Bernard se n'era accorto, ma faceva finta di niente – che ascoltava bevendo sambuca, l'unica cosa che era riuscita a trovare.

Ornella la vide sul divano, con lo sguardo vuoto e il bicchiere pieno, mentre le labbra mimavano "Contro un cor che accende amore" con una precisione nel playback che neanche una drag queen.

«Cosa è successo?»

«Cosa vuoi che sia successo, Ornella? Lo amo.»

«Non puoi amare nessun altro, tu, a parte me e le tue scarpe. Sei sposata. Questa è solo un'avventura.»

«Anche mio marito si concede un sacco di avventure... ormai l'ho capito. Quando dice che ha il torneo di burraco so già come finirà.»

La Patti aveva allungato le gambe sui braccioli, mentre Ornella le girava intorno.

«Questo non ti giustifica.»

«Sei sempre stata antica, mamma mia, Ornella.»

«Ora cosa hai intenzione di fare?»

«Come vedi, di bere. La nostra storia non ha futuro. Già all'aperitivo ho capito che saremmo finiti a mangiare un felafel. Quando il cameriere ha portato il primo conto da ventiquattro sterline, Samir mi ha guardato terrorizzato.»

«E quanto avete bevuto?»

«Solo due bicchieri, ma di champagne. Per lui era la prima volta... Pensa: mi ricorderà per sempre come la donna che gli ha fatto scoprire lo champagne. Ma non vuoi un po' di sambuca?»

«Oh, sì. Un goccio di sambuca alle due di mattina ci sta sempre bene. Non so se riuscirò a riprendere sonno.»

«Sei angosciata per Axel?»

Ornella prese una sedia e l'avvicinò alla Patti.

«Sono angosciata per tutto. Riuscirò a trovare pace?»

«Amica mia, sono arrivati gli arretrati, e non hai alternative. Per fortuna ci sono io qui ad aiutarti. Il bello dell'amicizia è che bisogna essere almeno in due.»

«E poi, se dovessimo naufragare, abbiamo sempre la zia Lucrezia.»

«Lascia stare... Ora che la cariatide è fuori pericolo, è molto più generosa, e non è da lei.»

«Magari ha deciso di fidarsi. In fondo è una povera donna.»

«Si vede che leggi troppi libri... non ti fa bene. Ci sono persone che riescono a essere tirchie anche in punto di morte.»

«Ma mi hai appena detto che è diventata altruista!»

«Sì, ma lo ha fatto solo per depistaggio. Poi darà tutto alla Chiesa, vedrai...»

In compagnia, quella bevuta notturna diventò meno triste, e lentamente la conversazione virò su toni più spensierati, ma sempre con il melodramma in sottofondo. In realtà sapevano di essere due privilegiate: sopravvivere all'eroina è una vittoria che non dipende solo dalla volontà, ma anche dalla fortuna. E sebbene Ornella si sentisse perennemente in dovere di aiutare gli altri, sapeva anche farsi aiutare, e questo la rendeva incredibilmente umana.

La Patti non era da meno. Al di là della sua eccentricità, aveva un cuore di bambina, solo un po' più cinica, a volte. Raccontò per filo e per segno a Ornella della cena con Samir a base di felafel. Quando aveva capito che avrebbe dovuto pagare tutto lei, aveva deciso che un panino era la scelta più romantica a un primo appuntamento.

L'incontro non era sfociato in una notte di fuoco, perché Samir divideva la casa con altre sette persone e la Patti non aveva avuto il coraggio di portarlo a Hampstead. Però c'era stato un "bacio al cardamomo" che lei raccontò in ogni particolare, perché non le era mai capitata una bocca così speziata. Lui le aveva promesso che la volta successiva l'avrebbe portata a cena da suo zio, che aveva un ristorante a Brick Lane, e lei già sentiva di puzzare di curry.

Il sonno se n'era andato, così Ornella decise di preparare la valigia. Come sempre, scelse a caso e dimenticò un po' di tutto.

Si addormentò molto tardi, e alle sette aveva gli occhi sbarrati e un pensiero fisso: doveva parlare di nuovo con Clara. Provò a chiamarla, ma lei, che raccontava sempre di svegliarsi presto per il gatto, non rispose. Così Ornella decise di andare a bussarle alla porta. Sapeva che era un gesto poco inglese, ma non poteva tornare in Italia avendo un conto in sospeso con la sua compagna di viaggio della libreria.

Doveva uscire in fretta, senza controllare che la Patti fosse ancora viva, dato che era rimasta sul divano e giaceva con la bocca spalancata e immobile. La musica era finita e il quadretto era un po' meno poetico di qualche ora prima. Per evitare dubbi, le grattò il piede e lei fece una smorfia.

Guardò la finestra di Bernard, ma di lui non c'era traccia. Si sentì sollevata, anche se arrivata in cima alla strada si voltò di nuovo per vedere se fosse comparso in giardino. Invece vide solo una ragazza vestita da majorette che stava andando dal vicino insospettabile.

Mentre camminava insieme agli extraterrestri dell'alba – "ma questi corrono a tutte le ore?" – pensava al discorso da fare. Ci mise un po' a trovare la via, ma riconobbe la casa perché aveva una targhetta con un gatto appesa alla porta. E poi era di fianco ai nani della signora Phillida! Quella mattina avrebbero potuto anche arrestarla perché non aveva più paura di niente.

Ornella suonò. Nessuno rispose. Suonò di nuovo con insistenza. Silenzio. Con il suo solito spirito, pensò che Clara fosse caduta battendo la testa e ora fosse riversa sul pavimento leccata dal gatto. Per cui bussò con tutte le sue forze fino a che Clara piuttosto seccata le aprì la porta con una cuffia in testa.

«Oddio scusa... ti ho disturbato?»

«Vedi tu... sono le sette e mezzo del mattino.»

«Scusa.»

«Che è successo?»

Clara restò sulla porta senza farla entrare e ordinò al gatto immaginario di scendere dal divano. Pensò che fosse un bello scherzo da fare a una che ti butta giù dal letto.

«Niente... Visto che oggi pomeriggio parto e in libreria ci sarà un po' di casino... volevo solo dirti...»

«...»

«Grazie. Vorrei dirti grazie per il tuo lavoro.»

«Mi piacerebbe che me lo riconoscessi anche davanti agli altri, non solo qui sottovoce dopo la sbronza di ieri sera.»

Forse aveva esagerato con la sambuca.

«A volte ci dimentichiamo proprio di dire le cose più ovvie... Posso entrare?»

Con la coda dell'occhio le era sembrato che Phillida fosse in giardino e le era già sparito il coraggio.

«Preferirei di no. Il gatto oggi sembra pronto all'assalto... per cui meglio evitare sorprese altrimenti si nasconde per settimane.»

«Allora scappo.»

«Sono gatti. Anche loro hanno i loro difetti.»

«Be' certo Clara... io sono esperta mondiale di difetti.»

Clara la guardò senza ridere. Era ancora un po' offesa e non voleva più parlare.

«Allora vado, ci vediamo tra poco.»

«Arrivi in ritardo come al solito?»

«Credo di sì.»

Lei chiuse la porta, gettando ancora di più Ornella nello sconforto. Phillida sembrava essersi dissolta e lei diede un'ultima occhiata al giardino dei nani. Davanti a sé aveva quattro possibilità: rubare un altro nano; costituirsi alla polizia; aprire in anticipo la libreria; fare un salto al parco.

Scelse la libreria.

Passò la giornata accanto a Clara, cercando di comunicarle che si fidava di lei, ma esagerò un po' negli elogi e ottenne l'effetto contrario.

Le lasciò libertà totale nella gestione, e glielo diceva sempre in modo che Diego o qualche cliente potesse sentire: "Tu che conosci i libri meglio di me, sentiti libera di agire come vuoi". Clara annuiva con maggiore convinzione anche se era sempre un po' stizzita alla vista di Diego, che secondo lei aveva rivelato la sua vera identità cialtrona.

Non sarebbero state certo le idee da quattro soldi a cambiare le sorti del settore. "Bisogna elevare i lettori, non abbassare i librai" pensava. Diego lo capì benissimo e se ne stette mogio mogio tutto il pomeriggio.

Quando Ornella vide che la Patti era venuta a prelevarla, smise di essere la persona serena che era sembrata per tutta la giornata. Era arrivato il momento. Diede da mangiare a Russell & Crowe e le parve persino che Russell scodinzolasse. Salutò Nanni Moretti, che invece sembrava sempre di malumore. Cercò di evitare addii troppo formali con Clara e Diego per limitare l'imbarazzo.

Partiva, ma non sapeva bene se sarebbe tornata.

Ad aspettarle fuori, parcheggiato male sull'angolo, c'era Samir. La Patti non se la sentì più di salire dietro come faceva da una vita. Così si accomodò davanti, come una di famiglia. Per l'ennesima volta, quel giorno, Ornella si sentì isolata da tutti.

28

In una notte, Diego riuscì ad avere, nell'ordine, tutti gli incubi che lo avevano svegliato negli ultimi anni: la sua ragazza che lo scopriva con Carmine; il Napoli che perdeva la finale di Europa League; la cooperativa che riapriva con un nuovo ragioniere; una cliente della libreria che lo scambiava per russo. Quest'ultimo era diventato un sogno ricorrente.

A colazione incontrò il suo coinquilino che intratteneva la conquista della sera prima davanti a due uova, yogurt greco, fette di pane bruciato con burro e Marmite, che sembra marmellata di prugne e invece ha il sapore di dado. Erano appena stati insieme e si stavano già lasciando. Non gli chiesero se volesse sedersi con loro, né come gli andasse la vita.

Diego li salutò in fretta e si avviò a passo spedito al lavoro. Presto però si sentì in dovere di rallentare, scalare la marcia e cercare di capire cosa stesse succedendo: Carmine si era materializzato davanti al suo negozio e lo stava aspettando. Aveva le mani in tasca e un sorriso così dirompente che lui non poté fare altro che contraccambiarlo, anche se i battiti continuavano a rimbombargli nelle orecchie.

«Cosa ci fai qui, Carmine?»

«Ti avevo detto che sarei venuto...»

«Ma non pensavo parlassi sul serio e poi potevi telefonarmi!»

«Ma se neanche mi rispondi ai messaggi... Così ho dato un'occhiata al tuo Facebook ed eccomi qui.»

Diego si rese conto che i suoi sforzi non erano serviti a niente. Tutti i tentativi fatti, le barbe scolpite, le birre al pub, il tarallo con l'autore, il coinquilino greco, la parentesi con la ragazza burrosa, i cieli di Londra e le piante di Julie non lo avevano distratto neppure un attimo da quello che era diventato un desiderio fisso e indicibile. Perché il vero dramma, per Diego, era amare qualcuno e non avere nessuno a cui confidarlo, nemmeno al destinatario. Se glielo avesse detto, Carmine si sarebbe messo a ridere.

Così rimase impalato, pensando che tutti i passanti si accorgessero di cosa c'era stato tra loro, e cercò di aggrapparsi al presente.

«Io però adesso devo lavorare.»

«Tu te ne sei andato da Napoli per venire a tagliare i capelli a questi qua?»

«Non siamo tutti con il posto fisso come te, Carmine. Con il papà che ti compra la casa il giorno prima di compiere diciotto anni.»

«Mo' non fare la vittima con me, però... Mi pare che in quella casa ti sei divertito pure tu.»

«...»

«Se tu sei contento di vivere a Londra mi fa piacere, anzi... devo dire che ti vedo bene... Ma più tardi sei libero?»

«In che senso?»

«Così, per vederci. Magari hai una casa, un posto dove possiamo andare mezz'ora. Così cerco di liberarmi come ho fatto adesso...»

Carmine parlava come se stesse facendo una trattativa commerciale, mentre Diego si sentiva impotente e sotto scacco. Si chiedeva cosa c'entrasse con una persona così, ma non riusciva a togliergli gli occhi di dosso, mentre aveva un presentimento terribile.

«Perché, non sei solo?»

«No, ti pare che la mia ragazza mi lascia venire a Londra da solo? Siamo con un'altra coppia. Ma stamattina andavano a visitare la National Gallery e io gli ho detto che preferivo vedere lo stadio del Chelsea. Se tra oggi e domani ti trovi una mezz'ora vediamo come fare... magari vieni tu da me... tanto una scusa la trovo... o mi dici dove sei e ti raggiungo. Così ci divertiamo un po'.»

Diego si sentì morire, ma vide Julie in fondo alla strada che iniziava a sistemare le piante. Le fece l'occhiolino accompagnato da un sorriso malizioso che la prese in contropiede.

«Come vedi sto frequentando un'altra ragazza...»

«Be', per me non è un problema, anzi.»

«In effetti per noi non è mai un problema...»

Risero un attimo, ma Diego non si stava divertendo per niente. Forse avrebbe fatto meglio a liquidarlo con un sms qualche giorno prima, ma mai avrebbe pensato che Carmine si fosse dato da fare per trovarlo, lasciando addirittura la ragazza da sola pur di vederlo. Diego non capiva bene se era amore o se era ormone, ma preferiva non saperlo. Sentiva che doveva comunque dargli una risposta, anche perché era il momento di aprire il negozio.

«Vedo come possiamo fare. Tu quanto ti fermi?»

«Hai qualche giorno di tempo. Il mio numero ce l'hai. Fatti vivo, ok?»

«Ok.»

Diego fece cenno che ormai era tardi e l'altro rispose con un abbraccio che lo lasciò un po' rigido, anche se si sciolse davanti a quel profumo che era sempre lo stesso.

Vide Carmine andare via e lo seguì con lo sguardo fino alla fine sperando che si girasse, ma non accadde.

29

Verona accolse Ornella e la Patti con il sole.

Avevano preso una stanza nei pressi di ponte Pietra. La finestra sembrava incorniciare una cartolina: l'Adige che scorreva, qualche tiglio in lontananza e la collina di Castel San Pietro presa d'assalto dagli innamorati. Come al solito, nessuna delle due amiche aveva dormito bene. La Patti aveva iniziato a leggere il secondo volume della trilogia sugli angeli. Alle due, però, aveva avuto un attacco improvviso ed era corsa in bagno. Era proprio un libro indigesto.

Sarebbe dovuta rientrare a Milano ma non poteva lasciare sola Ornella. Aveva anche chiamato la sorella di Axel, che le aveva dato una buona notizia: da qualche giorno suo fratello si sentiva un po' meglio e aveva ripreso a mangiare, senza mai smettere di chiedere di sua moglie.

Rivedere dopo vent'anni il luogo dove sei cresciuto lascia sempre interdetti. Una città che sembrava addormentata, che nel ricordo era sempre buia o nuvolosa, stava regalando a Ornella una giornata piena di luce.

La sera prima, anche se distrutte, lei e la Patti avevano deciso di fare quattro passi. Erano arrivate al Duomo, avevano camminato lungo il fiume e si erano appoggiate a un muretto a guardare l'acqua passare. Nello sciabordio dell'Adige Ornella aveva rivisto il suo passato autodistruttivo, ma quella notte d'incanto le aveva fatto capire che Verona non c'entrava niente.

Aveva ripensato a sua madre e a suo padre, che vedeva spesso su Skype e incontrava due volte all'anno, quando venivano a Londra in "pellegrinaggio" portandole i funghi porcini surgelati, la sbrisolona e la grappa all'Amarone. E aveva ripensato a sua sorella, che con la sua vita regolare aveva distratto i genitori in quegli anni, anche se poi era andata a vivere in Germania.

Prima di dormire, l'unica cosa che la Patti le aveva detto era stata: "Ricordati cosa ci ripetevamo in comunità: un giorno alla volta. Ora non pensare ai tuoi, ci sarà tempo per loro. Oggi concentrati su Axel". Lei aveva annuito, pur avendo paura. Avrebbe voluto pregare, ma non ne era più capace. Il suo dio era la speranza.

E malgrado l'entusiasmo che ti può regalare un cielo azzurro, si sentiva di nuovo sola. Per qualche ora, anche la libreria non esisteva più. Se un giorno glielo avessero detto, non ci avrebbe creduto.

Le due amiche si sedettero a un caffè a farsi un cappuccino e la Patti restò mezz'ora davanti alla piccola gioielleria Borsari a sognare un braccialetto. Fu tentata di chiamare la cariatide e chiederle: "Perché vuoi lasciare tutto alla Chiesa? Perché?", ma si accorse che stava esaurendo il credito telefonico.

Fecero quattro passi in piazza delle Erbe, che sembrava più bella, o forse Ornella non l'aveva mai guardata bene. Girellando per le bancarelle, si persero ognuna per conto proprio e Ornella comprò un maglioncino di cashmere alla sua amica. Non era stagione, ma era in saldo, e lei non poteva immaginare la Patti senza cashmere. Fu però un po' troppo ottimista con la misura e così dovette tornare a cambiarlo: solo i veri amici hanno il coraggio di dirti che hai sbagliato taglia.

Tutte e due, in realtà, sapevano che stavano solo prendendo tempo.

Dopo aver guardato l'ora per l'ennesima volta, Ornella disse alla Patti che voleva andare da Axel da sola.

«Sei sicura?»

«Sì. Se hai sempre qualcuno che ti tiene la mano, un giorno potresti affogare. Quindi lasciami i riferimenti, dammi gli orari e l'indirizzo della clinica, dimmi tutto e appena me la sento ci andrò. Però ora lasciami sola.»

I rumori del mercato stridevano con il loro stato d'animo, ma le aiutarono a dirsi le cose senza imbarazzo.

«Non aspettare troppo.»

«L'ho aspettato tanto tempo, Axel. Per anni. Ora deve avere un po' di pazienza lui.»

«Sei la persona più capace di rimandare che io conosca.»

«Non si tratta di rimandare. Si tratta di sopravvivere.»

La Patti avrebbe voluto strozzare la sua amica con la maglia di cashmere.

«Ricordati che hai passato i tuoi anni migliori chiusa in una comunità a disintossicarti dall'eroina, da Axel... da tutti i pericoli legati a lui. Hai perso gli amici. Hai perso di vista la tua famiglia. Ora basta. Ora ci sei tu. Ci sei solo tu.»

«Adesso lasciami sola.»

«Telefonami appena l'hai visto.»

«Stai tranquilla, Patti. Ora dimmi che mi vuoi bene e che sei fiera di me.»

«Io sarò fiera di te sempre. Anche quando fallirai.»

«Tu però non fare shopping con soldi che non hai.»

Ornella la lasciò a malincuore, e mentre la guardava allontanarsi tra le vetrine dei vicoli, le tornò in mente quando l'aveva vista lasciare la comunità a Cetona.

Essendo un cuore ribelle, la Patti non aveva mai accettato l'idea che in comunità non si potessero avere tresche sessuali o sentimentali. "Se non ami te stesso non potrai amare gli altri" ripeteva don Rigoni, ma la Patti sosteneva invece che una cosa non escludeva l'altra. Così aveva ceduto alle avance del giardiniere perché amava i cliché, e da quando aveva letto *L'amante di Lady Chatterley* quella era diventata una sua fantasia erotica. Lui era il responsabile di tutti quei ragazzi che passavano le giornate a potare siepi e alberi, e il suo ruolo lo rendeva ancora più affascinante. Purtroppo, uno degli spasimanti che lei aveva rifiutato era andato a fare la spia a don Rigoni, che aveva applicato alla lettera il regolamento: la Patti era stata cacciata su due piedi.

Dopo una notte di lacrime e abbracci, Ornella era riuscita a reagire nell'unico modo che all'epoca conosceva: stirando lenzuola. Aveva visto la Patti andare via sulla stradina che portava al cancello, con quella valigia troppo piccola per lei. In quel momento, pensò che non avrebbe mai più trovato un'amica che la capisse più della Patti. E così era stato.

Ora Ornella la guardava con gli stessi occhi mentre si allontanava in via Mazzini. Un filo invisibile la guidava però in direzione opposta, verso luoghi che il tempo non aveva cambiato e a rivederli oggi le sembravano tutti maestosi, anche il liceo Maffei, dove aveva trascorso gli anni felici. Ma per lei Verona era soprattutto l'incubo dell'eroina, la zona delle Cartiere dove aveva trascorso la maggior parte delle sue notti.

Rilesse il biglietto che la Patti le aveva lasciato con l'indirizzo della clinica. Non era lontano da quel punto, ma preferì tergiversare. Cominciò a girovagare lasciandosi guidare dalla memoria, con il terrore che qualcuno la riconoscesse, anche se non era possibile. Perché i suoi amici dell'epoca erano quasi tutti morti per overdose, o si erano suicidati.

A un certo punto si trovò in piazza San Nicolò e si rese conto che non c'era arrivata per caso. Ecco il portone che aveva varcato molte volte. Era lì che aveva bussato quando era rientrata dopo l'arresto di Axel in Germania, e solo lì le avevano aperto.

Si avvicinò al citofono e suonò.

«Chi è?»

«Sto cercando Piero.»
«Sono io. Chi è?»
«Sono Ornella. Sono tornata.»
«Non ci posso credere... Ornella! Sali subito.»
«Non so se mi riconoscerai...»
«Questo vale anche per me.»

Pochi incontri sono più traumatici di quelli che avvengono a vent'anni di distanza, anche se l'affetto e le rughe rendono tutti più indulgenti. Piero era l'unico amico non tossico che Ornella aveva avuto ai tempi in cui viveva in città. Per lei era come un fratello. L'unico che le permetteva di rubare in casa sua facendo finta di niente. "Ma se non rubo agli amici a chi rubo?" gli confessava lei e lui le perdonava anche la sparizione del macinacaffè. Piero aveva provato un po' di cocaina e basta, capendo subito che la droga non gli interessava.

In compenso aveva visto cadere nella rete un sacco di amici e si era dovuto reinventare il suo mondo di relazioni.

Non avrebbe mai scommesso su Ornella, anche se le voleva bene. Ed era così contento di essere stato smentito da non trovare la forza di parlare: ce l'aveva davanti, con la pelle di un colore finalmente sano, gli occhi spalancati e il sorriso timido di chi non smetterà mai di sentirsi in colpa.

«Sapevo che stavi bene, ma non ero sicuro che fosse vero.»

«E come facevi a saperlo?»

«Be', sei sempre di Verona. Basta una telefonata e le cose arrivano. E poi suona il citofono e sei tu... e siamo qui. Non sarai mica venuta per vendermi una macchina per fare la fonduta?»

Ornella scoppiò a ridere e per la prima volta trovò comico ciò che in passato era sempre stato un dramma: rivendere gli elettrodomestici.

«Quella macchina per la fonduta era il nostro tesoretto, mio e di Axel. Era un regalo di matrimonio ed eravamo convinti che valesse un sacco di soldi. Dicevamo sempre: vendiamo la macchina per la fonduta, compriamo un po' di roba e ce ne andiamo in Argentina.»

«E a chi l'avete venduta?»

«Credo alla nostra amica puttana che spacciava perché aveva poco lavoro. Era innamorata di tutte le nostre cose... si era presa pure gli abat-jour. Chissà a te quanti soldi devo ancora...»

Si erano seduti a un tavolo senza convenevoli, ritrovando all'istante la stessa confidenza di un tempo.

«Meno di quello che pensi. A te in quei momenti bastava un piccolo gesto... Ti davo duemila lire ed eri contenta come una pasqua. Salvo che dopo qualche giorno eri di nuovo qui a bussare. Sai qual è il momento in cui ho capito che eri diversa dagli altri?»

«Quando sono riuscita ad allagarti il bagno solo tirando lo sciacquone?»

«No, dài. La volta in cui quel mio amico un po' losco mi lasciò in custodia un sacchetto di diamanti, e io per l'emozione te li mostrai. Perché per me non eri una drogata, eri innanzitutto un'amica.»

«I diamanti! Ogni tanto me li sogno ancora.»

«Appena suonò il telefono e dovetti andare nell'altra stanza, ti pregai di non toccarli. Quel mio amico sarebbe stato capace di tutto, lo conoscevo bene.»

«Ah, lui era tremendo...»

«Quando tornai, eri ancora lì, e i diamanti pure.»

A Ornella quel gesto di lealtà era costato una lite furibonda con Axel, che era arrivato quasi a buttarla fuori di casa. Lui, ovviamente, sarebbe fuggito con il sacchetto. E mentre lei lo raccontava a Piero, le sembrò che il tempo non fosse passato. Anche quella casa non era diversa da come la ricordava, forse solo meno bella. C'era ancora il divano dove lui la lasciava dormire, davanti alla televisione.

«Fai sempre il giornalista?»

«Sì, più o meno...»

«Sei sposato?»

«Lo ero. Da tre anni mi sono separato e sono tornato qui.»

«Mi spiace.»

«Invece devi essere contenta. Non stavo più bene con lei.»

Senza neanche chiederglielo, Piero versò due bicchieri di vino rosso da una bottiglia già aperta e ne porse uno a Ornella.

«Sei qui per Axel?»

«Come lo sai?»

«Be', l'ho sempre tenuto d'occhio. Lui non ha mai voluto uscirne, non ci ha nemmeno provato. So che è messo male... ma non ho il coraggio di andare a trovarlo. Non mi ha mai potuto vedere, forse era geloso, non so.»

«Sì, era geloso. Si sentiva onnipotente e non riusciva a concepire relazioni diverse da quella tra me e lui. Forse non ho mai capito come fosse veramente...»

«Siamo tutti un po' complicati.»

«Sono felice, sai, di essere qui?»

Ornella si lasciò andare sul divano che l'aveva ospitata tante notti ed ebbe la sensazione di essere veramente guarita. Di colpo tutto era a portata di mano, e per una volta comprensibile. E che Piero fosse speciale le era stato sempre chiaro. Anche quando era strafatta e non si ricordava nemmeno il suo nome.

30

La clinica sembrava uno di quegli edifici che possono contenere tutto, da una caserma a un hotel di provincia. Ornella ci arrivò a piedi perché voleva ripassare un discorso che non sapeva se avrebbe fatto. Ripensò a quando aveva visto Axel l'ultima volta a Londra. Avevano mangiato in un ristorante marocchino dove avevano litigato perché non servivano alcolici, e per un attimo lei aveva pensato: "Come ho fatto a starci insieme?".

Lui continuava a bucarsi, e il fisico iniziava a dargli segnali di resa. Il fegato, in particolare. Ornella lo rivedeva per compassione e forse per devozione, in quell'atteggiamento tutto suo fatto di fioretti e promesse.

Mentre varcava il cancello della clinica, si ricordò di quando aveva chiesto ad Axel di sposarla. Era convinta che con il matrimonio sarebbero diventati come gli altri, magari anche più buoni. Avrebbero messo su famiglia, lei si sarebbe trovata un lavoro come commessa alla Benetton – si era sempre sentita una commessa – e lui avrebbe realizzato trompe-l'oeil nelle ville palladiane dei veneti ricchi.

Ornella entrò come se fosse in una chiesa, ma la ragazza alla reception la riportò al mondo terreno. Il tempo delle visite era terminato e fuori orario potevano entrare solo i famigliari stretti.

«Lei chi sarebbe?» le chiese seccata. «Sono la moglie» rispose.

Non ricordava di averlo mai detto e le faceva strano dichiararlo dopo tanti anni.

La signorina restò talmente sorpresa che prese atto senza reagire. Chiamò un'infermiera che l'accompagnò al primo piano in un silenzio irreale, interrotto solo da passi e sospiri. Percorsero un lungo corridoio, in fondo al quale restava solo una porta: «Siamo contenti che lei sia venuta» disse l'infermiera, «non ne potevamo più».

Ornella pensò che le persone pesanti lo sono fino alla fine, ma lei Axel lo voleva così. Si sbottonò il soprabito e si aggiustò i capelli come poteva. Si pentì di non essersi truccata, di non essere pronta, ma se ci avesse pensato non sarebbe mai arrivata lì.

Le decisioni che ti cambiano la vita vanno prese senza rifletterci troppo.

Entrò senza bussare, aprendo la porta lentamente, come se volesse fare la sorpresa a un bambino. E quando lo vide, in effetti, Axel sembrava un adolescente. Era in stanza da solo, su un letto con le ruote, la schiena un po' sollevata, il braccio attaccato a una flebo e a un'altra macchina che emetteva strani *bip*. Stava sdraiato sempre nello stesso verso di un tempo, con la testa reclinata su un lato e le gambe a occupare tutto il letto. E poi aveva una cosa strana, mentre dormiva. Sembrava sempre che sorridesse.

Un mazzo di fiori rendeva la camera più accogliente, anche se lei non gli avrebbe mai portato fiori, semmai una birra. Non ci aveva pensato, altrimenti gliel'avrebbe presa.

Si avvicinò con il terrore che fosse già morto, ma per fortuna vide che il lenzuolo si muoveva. Non sembrava neanche così distrutto. L'aveva visto peggio quando stavano insieme e cadevano strafatti per terra, anche se allora lei non vedeva la bruttezza. Ora quel volto sembrava dirle come sarebbe potuta diventare.

Si ricordò di quando sognavano di comprare una barca a vela con il doppiofondo e andare in Marocco a fare business di hashish. Oppure di fuggire direttamente ai Caraibi e non tornare più, convinti che là non ci fosse la droga e loro sarebbero stati veramente liberi.

Ora che Axel si trovava a un passo da lei, le sembrava tutto lontano e al tempo stesso chiarissimo. Non era più il provocatore, il talento, il dannato, il lasciapassare per la libertà. Era la solitudine. E non sembrava più suo marito, ma suo figlio.

Forse era sempre stato suo figlio, che poi è il problema di tutti gli amori a senso unico. Gli si avvicinò e gli sfiorò la fronte, che era ancora calda. Si tolse il soprabito, prese la sedia e la sistemò vicino al letto.

Stette a osservarlo senza fare niente, incredula di non provare un'emozione. Anche lei aveva prosciugato le forze, o forse aveva solo paura di lasciarsi andare. Cercò di respirare imitando il ritmo di Axel, per ritrovare un po' di complicità, fino a che non riuscì ad avere la stessa cadenza.

L'infermiera entrò di soppiatto per controllare la flebo. Ornella era così assorta nei suoi pensieri che si spaventò nel solito modo melodrammatico, interrompendo quel gioco onirico. La donna lo intuì e si dileguò imbarazzata, strascinando zoccoli cui la Patti avrebbe dato subito fuoco.

Rimasta di nuovo sola con il passato, Ornella riprese a respirare con Axel, ma non trovò più il suo ritmo. Lui sembrò accorgersene e spalancò gli occhi.

Ci mise un attimo a metterla a fuoco, ma quando la riconobbe le fece un sorriso e le disse: «Ti ricordavo più bassa».

Lei non l'aveva mai visto così. La voce arrendevole di chi parla prima di addormentarsi, gli occhi che per una volta si muovono lentamente. Solo quando tornava a casa con la roba aveva quella stessa felicità, ma più elettrica. In quel sorriso, invece, c'era solo una dolcezza condita di nostalgia.

«Io non credo di essere cresciuta, Axel. Lo sai che sono sempre stata un po' più alta di te.»

«Dev'essere questo letto che mi fa vedere tutti dei giganti. Mi versi un po' d'acqua?»

Era la prima volta che lo vedeva bere acqua, e le sembrò che la vita, anziché finire, stesse per cominciare. Gli passò il bicchiere, che lui tracannò con una forza inaudita. Le sue dita erano sempre quelle del chitarrista che le suonava *Purple Rain*.

«Ho rotto le palle a tutti perché ti convincessero a venire. Non ce l'avrei fatta a morire se non ti avessi salutato prima.»

«Chi ti ha detto che devi morire?»

«Ci sono cose che sai, e che un po' vuoi. Io forse ho sempre voluto morire... mentre tu no... tu volevi fare i figli.»

«Anche tu li volevi, non ti ricordi? Mi dicevi sempre: "Un giorno...".»

«Non credo di averti mai detto niente da lucido. E se ho provato a trascinarti giù con me era solo perché ero geloso della tua forza.»

«Anch'io volevo venire giù con te. Quando però ho visto il fondo ho avuto paura.»

«Per fortuna mi hanno arrestato. Se non lo avessero fatto, saremmo finiti male tutti e due. Invece almeno tu ne sei uscita.»

Parlavano con la convinzione che non ci fosse più tempo per i giri di parole. Era un duello senza pistole, solo con la voglia di esaminare a mente lucida dieci anni di matrimonio di cui ricordavano pochissimo. Risero solo quando ad Axel tornò in mente che, il giorno delle nozze, il dress code in chiesa era "camicia a maniche lunghe" per non fare vedere ai genitori i buchi sulle braccia dei loro amici. Come regalo, avevano chiesto dosi di eroina.

Il testimone di Axel si era presentato con gocce di atropina negli occhi, perché aveva paura che le pupille troppo piccole destassero qualche sospetto. Peccato che non ci vedesse più e barcollasse come un cieco, per cui lo sposo fu costretto a firmare anche per lui i documenti sotto lo sguardo perplesso del prete.

«Lo sai che mia sorella mi ha portato una foto del nostro matrimonio? Se apri quel cassetto, la puoi vedere.»

Ornella non si sentiva ancora pronta, ma non poteva più aspettare. Tra le mani si ritrovò una di quelle immagini degli anni Settanta, dove i colori virano sempre al beige. Il suo volto quasi non lo riconosceva più, tanto era giovane, pallido e apparentemente felice. Le scappò un sorriso involontario. In quell'immagine con il bordino bianco, Ornella rideva e guardava Axel che guardava il lago di Garda, nel ristorante dove avevano fatto la festa. Accanto a loro, il testimone non guardava da nessuna parte perché non riusciva a vedere niente.

«Sai che quasi non lo ricordavo, questo giorno?»

«Neppure io. Tu eri bellissima, ma io non lo sapevo... né te lo dicevo... io ti ho lasciato andare via.»

«Axel, devi riposare.»

«Tra poco avrò tutto il tempo del mondo. Dammi la mano, Ornella, resta cummè. Vuoi restare ancora con me?»

«Non ci siamo visti per anni. Hai avuto non so quante donne... Ti sei fatto fino a che hai potuto. E ora cosa pretendi?»

«Solo che tu mi stia vicino. Tu non mi hai mai giudicato, e avresti avuto tutto il diritto di farlo. Hai resistito senza mai odiarmi, come una soldatessa o una suora... Ecco, dovevi fare la suora!»

«Ah, mi sarebbe piaciuto. Regole, devozione e preghiere. La mia vita ideale.»

Ornella si mise a mani giunte guardando il cielo, e ad Axel venne da ridere.

«Saresti stata perfetta... Altro che Madre Teresa di Calcutta, che per me era cattivissima. Tu invece eri una santa travestita da cattiva.»

«Piantala, scemo.»

«Non scherzo. Non mi hai mai neppure rinfacciato tutte le cose che ti ho rubato!»

«Ti sei preso anche un bootleg di Stevie Wonder.»

«Tu lo sai come si sta in quei momenti lì. Non ci sono regole. Non ci sono affetti. Ci sei solo tu. E tu puoi essere il tuo migliore amico o il peggior figlio di puttana.»

Ornella gli aveva preso la mano e gliela accarezzava con l'indice, come se la dovesse disegnare. Quelle dita che, oltre a suonare, sapevano anche dipingere.

«Finalmente ti posso dire come ho capito che avevi un'amante, quando sei venuto a trovarmi quella volta in comunità.»

«È stata la Patti.»

«Ma va', la Patti all'epoca manco la conoscevi! Sono stati i tuoi disegni. Tu quando eri felice disegnavi in un modo diverso, con il tratto più netto. Di solito non lo facevi mai. Per questo, quando me li hai mostrati, ti ho detto subito che avevi un'altra, e tu non hai negato.»

«È vero. Ma forse l'ho fatto per aiutarti.»

«Potevi farcela anche tu. Sarebbe stato tutto diverso, avremmo avuto una vita come gli altri.»

«Io non volevo essere come gli altri. Sarei stato un padre disastroso. Ma tu mi ci vedi con un marmocchio per casa? Ti saresti fidata a lasciarmi con lui?»

Ornella scosse la testa. Si guardarono a lungo, senza staccare mai le mani l'uno dall'altra, in una forma di amore finale. Senza lacrime, solo respiri che non riuscivano più a tornare uguali.

«Mi hai fatto un regalo a venirmi a trovare... Ornella... io ti ho voluto qui perché solo tu puoi farmi un favore.»

«Che favore?»

Axel le strinse forte la mano e lei ebbe di nuovo paura.

«Aiutami a morire. Io non ce la faccio più ad aspettare, perché sfigato come sono sopravvivo ancora un anno. Per cui te lo chiedo con il cuore in mano: pensaci tu.»

Ornella sentì la sedia traballare, tolse la sua mano da quella di Axel e se la passò tra i capelli.

«Non puoi chiedermelo.»

«Certo che posso. Tu puoi dirmi di no, e io ti rispetterò. Ma se accetterai, vorrà dire che qualcosa di buono l'ho fatto su questa Terra: sparire senza far soffrire più nessuno. Né mia sorella, né i miei genitori, né te. So come fare senza che nessuno se ne accorga... devi solo dirmi se te la senti.»

«...»

«...»

«...»

«Ornella, te la senti?»

«Oggi no. Oggi ti voglio ancora con noi.»

«Ma io non voglio più stare con voi! Ora che ti ho rivisto, ora che ho capito che sei bella anche a cinquantacinque anni, io posso finalmente morire. Io voglio morire. Allora, che mi dici?»

«Ci devo pensare. Lasciami un paio di giorni.»

«Se torni a Londra non ti rivedo più.»

«No, resto qui, stai tranquillo. Ti ricordi quando dicevi che il tuo sogno era stare tutto il giorno buttato sul letto?»

«Oggi non mi ricordo più niente. Ora vai, vai e decidi. E promettimi che tornerai.»

«Te lo prometto.»

«E non dimenticarti la foto.»

Ornella prese quell'immagine e la mise dentro un libro che teneva in borsa. Toccò la fronte di Axel e gli diede un bacio su quella bocca senza più fiato. Restò un attimo a sentirlo respirare e un brivido le diede una scossa alla schiena. Si alzò di scatto e uscì di corsa senza più voltarsi.

31

La libreria senza Ornella sembrava un po' una casa senza divano.

Bella ma scomoda, che crea imbarazzo a chi entra e non sa dove sedersi. Clara, a dispetto delle sue convinzioni, si ritrovò molto meno pronta a dirigere la baracca. Perché in realtà Ornella aveva un suo ritmo interno che non le faceva perdere mai di vista la prospettiva delle cose. Tutto aveva un che di approssimativo, ma solo in apparenza. Come le massaie che cucinano a occhio e dicono che non sanno mai gli ingredienti e gli viene sempre ottimo.

Clara era ancora dispiaciuta per la freddezza con cui l'aveva salutata ma lei, non meno di Ornella, aveva un brutto rapporto con l'orgoglio, che negli anni era peggiorato. Anche per questo si era preclusa ogni possibilità di cercare una nuova storia, perché se una donna non si piace davanti allo specchio è meglio che non si faccia vedere davanti a un uomo.

I libri erano una via di fuga in cui amava nascondersi, ma non riusciva a condividere quella passione con gli altri. Non si sarebbe mai lanciata come Ornella, che diceva frasi del tipo: "Questa storia le risolleverà la serata". Il massimo per lei era suggerire che il romanzo era "di facile immedesimazione".

Entrata in libreria, quel giorno, si sentì spaesata. Sapere che la sua responsabile non sarebbe arrivata, neanche in ritardo, un po' le dispiacque. I clienti notarono da subito la sua assenza, anche quelli che non avevano a che fare con lei, e Russell aveva smesso di fare i salti nella vaschetta.

A metà mattina, Clara ebbe uno slancio e disse a una signora: «C'è sempre l'istante in cui un libro ti chiama», ripetendo una frase che Ornella aveva pronunciato una volta, e che all'epoca lei aveva trovato ridicola. Non sortì l'effetto desiderato, ma servì a farla sentire per un attimo una libraia di ampie vedute.

Nel pomeriggio tornò invece a essere la solita Iron Lady. Davanti a Diego non voleva mostrare debolezze, malgrado lui facesse di tutto per compiacerla, per cui il loro stare insieme sembrava un esperimento, o una partita a scacchi difficile per entrambi. Lui, in realtà, cercava solo di non pensare alla possibilità di rivedere Carmine, e aveva addosso una specie di adrenalina involontaria.

Come prima mossa, cercò di avvicinarsi a lei come si fa con i bambini che non conosciamo: muovendosi lentamente, senza dargli troppa attenzione, ma non dimenticandosi di loro. E Clara, che era pur sempre una donna, iniziò ad aprirsi alla conversazione. Oltre al gatto, che era un tema troppo personale, Diego le chiese soprattutto dell'inglese, argomento su cui lei s'illuminava ogni volta, fiera di saper fare l'accento di Eton.

«Volevo sapere una cosa, Clara...»

«Dimmi.»

«Il mio inglese fa tanto schif'?»

Ci fu un istante di silenzio piuttosto eloquente.

«Sì, la tua pronuncia fa abbastanza schif', come dici tu. Se ti va ci possiamo lavorare...»

«*Yes, we can.*»

Era convinto che il vecchio motto di Obama fosse apprezzato da tutti, ma Clara restò indifferente.

«Prendi quella Bic di cui hai mangiato il tappo e vieni qui.»

Lui corse alla cassa dove c'era la sua penna mangiucchiata.

«La prima lezione è imparare a pronunciare il "*th*"! Saper pronunciare il "*th*" è la cifra che distingue tutti. E c'è un solo modo per impararlo alla perfezione. Iniziare a pronunciare le parole con il tappo della penna tra gli incisivi. Prova a dire "*I think*".»

«*I tink*.»

«Ma no, lo devi fare con il tappo, così.»

Gli prese la penna e gliela mise in bocca, con un modo di fare che era un incrocio tra una madre e una madre superiora. E lui, dapprima goffamente, iniziò a pronunciare "*I think*" con un "*th*" sempre più naturale. Clara però smorzò subito i suoi entusiasmi.

«La difficoltà è che non puoi parlare con gli inglesi con la penna in bocca. E occhio agli sputi perché il "*th*" all'inizio fa fare tanti sputi che non sono belli da vedere.»

A Diego venne da ridere e lei si rilassò. Non era un cattivo ragazzo e probabilmente non voleva rubarle i soldi.

Julie entrò in libreria in quell'istante, e Diego scordò tutte le regole appena apprese. Alzò la voce, gesticolò, abbracciò e piazzò subito *I tink* senza il "*th*". Clara fece finta di nulla e tornò nel retro alzando gli occhi al cielo.

Julie era di fretta, ma si sforzava di dire qualche frase in italiano a cui Diego si sforzava di rispondere in inglese, in un trip tutto loro in cui non riuscivano a capirsi. Fino a che lei lo invitò per quella sera a casa di Nunzio anche con sua sorella. Le piaceva l'idea dell'uscita in doppia coppia con due italiani che cucinano la pasta, ti spostano la sedia e ti portano le rose. A lui invece piaceva l'idea di avere una scusa autentica per non incontrarsi con Carmine.

«Vengo volentieri. Devo portare qualcosa?»

«No, no... c'è tutto.»

«Potrei portare i friarielli.»

«*What's* friarielli?»

«Magari ti piace il friariello...»

Diego si vergognò di essere sceso così vicino al cliché dell'italiano assatanato. Clara per fortuna non lo aveva ascoltato. Quando però lo sentì che ripeteva a un cliente le sue stesse parole, per la prima volta provò un briciolo di ammirazione nei suoi confronti.

Verso la fine della giornata, contento di così tante emozioni tutte insieme, Diego si ritrovò a canticchiare *Fernando* degli Abba, certo non la scelta più appropriata se hai dubbi sulla tua sessualità.

Clara, senza farsi vedere, si avvicinò per ascoltarlo e impercettibilmente mimò il labiale di un testo che conosceva benissimo. Quando Diego se ne accorse, si fermò.

«Scusa, Clara, ma ogni tanto devo *sfogare*.»

«Non ti preoccupare, fa parte della tua immagine folkloristica. E poi gli Abba ci stanno sempre bene.»

«L'altra sera mi sono visto il film con Meryl Streep e marò... un altro po' e versavo tutte le lacrime che tenevo...»

Le aveva versate davvero tutte, le lacrime che teneva.

«C'è gente che si commuove facilmente.»

«Tu, Clara, piangi mai davanti ai film?»

«È una domanda molto personale. Però no.»

«Scusami... Ho visto che qui c'è pure il musical...»

«Certo, *Mamma mia!* Lo fanno da anni.»

«Se ti posso chiedere... Ti piace il musical?»

Se quella domanda gliel'avesse fatta qualsiasi altro uomo sulla terra, Clara si sarebbe di nuovo innamorata.

«Abbastanza.»

«Mi piacerebbe tanto vederne uno.»

«Be', sei nella città giusta.»

Quello fu il massimo che lei riuscì a dire. Diego le sorrise aggiungendo forse un "già" e tornò a controllare se Carmine gli aveva mandato un sms. A un certo punto ebbe l'impressione che anche Clara stesse cantando *Fernando*.

32

L'uscita dalla clinica fu molto più rapida dell'entrata e Ornella ritrovò i passi della casa di Piero senza alcuna indecisione. Verona non era cambiata e sembrava volerle bene. Anche i semafori erano verdi e le auto la lasciavano attraversare, come se tutti cogliessero il suo stato d'animo. Era sconvolta e camminava veloce, cercando di non pensare ma sapendo già cosa avrebbe fatto. La Patti stava provando a chiamarla da almeno mezz'ora senza ottenere risposta: Ornella voleva prima essere sicura del piano che aveva in mente.

Si attaccò al citofono di Piero con la stessa determinazione con cui ci si era già attaccata molto spesso, con il terrore che lui per una volta non ci fosse. Invece le rispose con il tono di chi la stava già aspettando e le chiese di salire.

Piero la osservò entrare con gli occhi dritti davanti a sé, senza più la disperazione che l'aveva contraddistinta in passato. Ma Ornella era la sua donna sbagliata, e lui le aveva voluto bene per quello. E ora che ce l'aveva di nuovo di fronte, un po' più adulta ma finalmente lucida, gli sembrava ancora la ragazza di un tempo.

«Ti devo chiedere un favore, Piero. Un altro. L'ultimo.»

«Smettila di dire sempre che è l'ultimo...»

«No, dài... Vorrei che mi prestassi la tua macchina.»

«Ora?»
«Be', sì. Te la riporto domani al massimo, dimmi che non ti serve.»
Piero ebbe la certezza di avere ancora un debole per lei.
«Mi serve, ma mi arrangio. Ornella, ma tu hai la patente?»
«Naturalmente no. Ma la Patti ce l'ha, è una mia amica... è cauta, affidabile. Devo solo avvisarla che stiamo per partire.»
«È qualcosa di grave?»
«Axel sta morendo, e la sua fine dipende anche da me. Prima però devo parlare con una persona.»
Sapeva di essere evasiva e che stava facendo una cosa fuori dal comune, ma sentiva che doveva partire. Davanti a quegli occhi, Piero non ebbe scampo, anzi si offrì di accompagnarla, ma Ornella voleva solo la Patti. La chiamò mentre lei era in giro per Verona a cercarla, terrorizzata che si buttasse giù da qualche ponte sotto gli occhi dei turisti. Anche nelle disgrazie, la Patti amava pensare in grande.
«Ornella, sei viva.»
«Sì, io sì. Axel... un po' meno, ma non ho tempo di spiegarti ora. Dobbiamo partire.»
«In che senso?»
«Devo tornare in comunità e ci posso tornare solo con te.»
La Patti sentì la terra mancarle sotto i piedi.
«Perché?»
«Te lo spiego dopo, dimmi solo se hai la patente.»
«Certo che ce l'ho, ma io non so se me la sento di tornare là... Poi devo consegnare *Tante vite, un solo angelo* e mio marito mi sta dando per dispersa.»
«Patti, non mi puoi mollare proprio adesso. Tanto domani ritorniamo qui. Sarà veloce, vedrai. Devo solo fare quattro chiacchiere con una persona.»
«E chi sarebbe?»
«Ora non posso dirtelo... ma non è don Rigoni.»

«Meno male. Ci mancava solo lui.»

La Patti, per un attimo, pensò al suo giardiniere che ogni tanto le appariva in sogno e di cui non aveva avuto più notizie. Lo aveva cercato anche su Facebook, inutilmente. Ornella continuava a restare in attesa di una risposta.

«Dimmi solo se te la senti di guidare fino in Toscana.»

«Certo. Io con questi tacchi ho girato il mondo!»

«Allora muoviti. Ti aspetto qui dal mio amico Piero, ti ricordi?»

«Oddio, quello a cui hai venduto la macchina per fare la fonduta!!!»

«Sta in piazza San Nicolò. Prendi un taxi tanto ci metti pochi minuti.»

Fu tutto così concitato che Ornella non ebbe il tempo per un'esitazione.

La Patti invece cedette un attimo – l'idea di rivedere il suo giardiniere le aumentò i battiti cardiaci – ma era talmente concentrata sul futuro della sua amica che cercò di dimenticare il suo conto in sospeso con quel luogo in Toscana.

Quando ti salvi insieme a qualcuno, stringi con lui un patto che va oltre i comuni sentimenti, e il destino dell'uno resta inevitabilmente intrecciato a quello dell'altro.

Prima di lasciare temporaneamente la stanza sull'Adige, la Patti diede una ripassata al trucco. Già che poteva rivedere il giardiniere, non voleva farlo senza un minimo di fard. Poi unì le cose sue e di Ornella, chiamò un taxi e andò a casa di Piero. Era curiosa di conoscerlo perché la sua amica gliene aveva parlato molto, a Cetona, tra passeggiate e preghiere, e glielo aveva sempre descritto come un santo. Lei quindi se lo immaginava con la pancia molle e le tettine cadenti.

Ecco perché rimase piuttosto sorpresa quando si trovò davanti un uomo tonico e brizzolato, dall'aria sicura, una giacca un po' lisa e lo sguardo profondo. Certo, subito dopo perse molto della carica sexy quando lei vide la macchina che le stava prestando: una Seicento blu piuttosto andata. Quella vecchia auto contrastava parecchio con la mise della Patti, che si era presentata in tacchi e chiffon.

Se Piero non avesse voluto bene a Ornella in modo così incondizionato, non le avrebbe mai lasciato la macchina, soprattutto dopo aver visto la partenza della Patti, che era tutta una lotta tra freno e frizione. L'unica cosa che le venne bene fu il doppio colpo di clacson che gli fece in partenza, mostrando una certa sicurezza fino al bivio successivo: lì né lei né Ornella seppero più in che direzione andare. Così, dopo aver provato inutilmente a inserire l'indirizzo della comunità sulla app del telefonino, decisero di ritornare al caro vecchio metodo, rivolgendosi ai passanti. Cominciarono chiedendo indicazioni per Firenze, convinte com'erano che tutti dovessero conoscere le autostrade italiane. Poi provarono con Bologna, fino a quando a un signore si accese una lampadina e indicò loro l'imbocco per il casello.

Il cielo era ancora dalla loro parte e regalava raggi felici. C'era anche un'autoradio estraibile che Ornella riuscì a sintonizzare su Radio Nostalgia.

Alla prima canzone di Gianni Morandi iniziò a cantare a squarciagola e la Patti non la seguì, concentrata com'era alla guida con il tacco. Al secondo autogrill si fermarono a fare benzina e a chiarirsi le idee. Ornella sembrava più rilassata e la Patti aveva iniziato a ingranare le marce come si deve. Aveva scoperto che dopo la terza poteva mettere la quarta e nel parcheggio aveva anche provato la retromarcia: funzionava.

Entrarono nel bar e dopo essere state venti minuti nella toilette come due brave ragazze, si presero un caffè macchiato. La Patti lo avrebbe voluto corretto con la grappa, ma a Ornella mancava solo il sequestro di un'auto per guida in stato di ebbrezza, per cui la supplicò di non farlo.

Finalmente, risollevata da un cioccolatino e dagli occhi di un cameriere, la Patti mise Ornella nell'angolo per cercare di capire quale fosse la ragione di quell'ultima follia.

«Ci eravamo dette che a Cetona saremmo tornate per i nostri sessant'anni, e mi pare che manchi ancora parecchio.»

«Io non direi "parecchio" con così tanta sicurezza.»

«Allora, mi dici cosa dobbiamo andare a fare là? Che se ci ritrova don Rigoni è capace che ci mette di nuovo a sgobbare.»

«Magari non c'è, dài, e poi troviamo il modo di non incontrarlo. Più tardi chiamiamo la reception... Ti ricordi? Metà edificio è occupato dai ragazzi della comunità ma nell'altra metà c'è l'albergo! Mio Dio quanto invidiavamo quelli dall'altra parte... Non dobbiamo più essere segregate nelle cellette!»

Era sempre stato un sogno di Ornella tornare in comunità non come paziente, ma come cliente, in quella parte dell'ex convento adibito a hotel dove i ragazzi della comunità potevano avere accesso solo per fare le pulizie.

La Patti non si dava per vinta.

«Quindi mi confermi che non devi parlare con don Rigoni.»

«No, non è una persona vera e propria.»

«Ornella, non me lo dire. Non me lo dire ti prego Ornella non me lo dire. Vuoi andare a parlare alla tua madonnina?»

«È grave?»

«No, però potevi farlo anche con il pensiero da Verona, senza farci quattrocento chilometri con me alla guida.»

La Patti, in realtà, ce l'aveva con il prete perché l'aveva cacciata dopo aver scoperto il suo flirt con il giardiniere. Molte volte, negli anni a seguire, l'aveva considerato responsabile della sua infelicità.

Ornella sapeva benissimo cosa passava per la testa dell'amica, ma era troppo presa dal suo dilemma. La disperazione rende tutti un po' egoisti. Tuttavia, mentre ripartivano a razzo in direzione Firenze, le disse la ragione per cui stavano facendo quella pazzia.

«Axel mi ha chiesto di aiutarlo a morire. Dice che sarebbe un regalo che lo farebbe andare via felice.»

La Patti scalò la marcia facendo sobbalzare la macchina in modo spaventoso. Era nera di rabbia.

«È il solito egoista e non si è smentito fino all'ultimo. Una sanguisuga che continua a chiedere fino alla fine... senza ritegno. Capisco che hai bisogno della tua madonnina.»

«Patti, non parlare così, povero Axel.»

«Povero? POVERO? La povera sei solo tu, che ancora gli dai retta. Ma spero che siano davvero gli ultimi sforzi... per te e per me.»

Ornella non aveva mai sentito la Patti usare un tono così secco.

«Me l'ha chiesto in un modo che non ti so dire... con una dolcezza che mi ha lasciata senza forze. Io non so se ce la farò, non credo... ma con quella madonnina ho un discorso ancora in sospeso.»

«Chissà se si ricorda. Gliel'hai fatto vent'anni fa.»

«Certo che se lo ricorda. È una madonna, e il suo lavoro è ricordarsi i fioretti e le promesse.»

A volte la Patti avrebbe preso Ornella a ceffoni, ma poi si pentiva subito.

«Sì ma la madonnina non ti dirà mai che puoi staccare la spina a tuo marito, neppure se lui te lo chiede in punto di morte.»

«Lei mi aveva promesso che Axel si sarebbe salvato.»

«Non ti aveva promesso un bel niente. Avevi fatto tutto da sola.»

«Patti, è il famoso mistero della fede!»

La conversazione da surreale divenne malinconica, fino a prendere una deriva silenziosa in cui le due deposero le armi. Il dolore sfinisce davvero.

«Tu in realtà non hai paura di incontrare don Rigoni, ma il giardiniere... di' la verità, Patti.»

«Io non ho paura di niente.»

Superata Firenze, Ornella crollò addormentata, e la Patti poté finalmente lasciare andare una lacrima che teneva prigioniera da troppo tempo. Non stava vivendo una vita ma tante, tutte insieme. E in poco tempo. Si rese conto che, anche se si era persa anni preziosi, ora quella caduta agli inferi sembrava avere un senso. Se non fosse andata lì, non avrebbe mai incontrato un'amica così speciale, e pazienza se aveva dovuto pagare un prezzo tanto alto. Le grandi amicizie sono comunque dei lussi.

Le sparì il sonno, le sparirono le paturnie, sparì anche il nervoso che aveva nei confronti di suo marito Adolfo, che mentre lei guidava la bombardava di telefonate affinché chiamasse la zia Lucrezia per farle un saluto. E lei, pur di avere una tregua, si era fatta viva con la cariatide.

Fece un altro paio di soste in autogrill per chiedere indicazioni stradali, e capì che a volte basta poco per affezionarsi alle cose: si stava innamorando della Seicento. Era bruttina, ma non l'avrebbe mai scambiata per una Mini piena di spocchia. Oddio, per una Mini nuova forse sì.

Appena superò Siena era già buio ma le luci della città le accesero il cuore. Le aveva viste tante volte, mentre andava a casa "in esperienza", come si diceva allora, quando dopo un po' di mesi ti lasciavano andare a trovare i familiari per qualche giorno, se ti eri comportato bene. La Patti all'epoca non vedeva l'ora di tornare indietro, e non solo per il suo amore segreto. Perché la comunità è sì una prigione ma anche una salvezza, per questo è difficile sia entrarci sia uscirne.

Provò a fermarsi per prenotare una stanza in "albergo" al telefono, ma non riuscì a trovare il numero della reception. Si sarebbero presentate così, all'improvviso. L'importante era trovare la madonna e non il prete. Sul giardiniere, invece, aveva ancora le idee confuse.

33

Julie si presentò al pub con un vestito svolazzante e Diego, appena la vide, si mise nella posizione del soldato partenopeo.

Carmine gli aveva appena scritto: "Se vuoi tra un'ora mi libero... Altrimenti trovo una scusa nei prossimi giorni...", e lui si trovò davanti a un dilemma proprio sotto gli occhi dolci della ragazza, che lo guardava incuriosita. Per prendere tempo le diede un bacio sulla guancia, uno solo, un po' goffo. Avrebbe voluto dirle: "E adesso?", invece le fece i complimenti per quanto era elegante.

Cercò di non pensarci e invitò la fioraia a entrare nel pub, che a quell'ora era ancora abbastanza vuoto. Lei accettò volentieri un bicchiere di vino rosso, flirtando un po', ma senza sbilanciarsi troppo. Era una ragazza nel pieno della spensieratezza. Lui sentiva l'autostima salire e questo gli dava parlantina, per cui cominciò a raccontare di Napoli e di Monte di Dio, che traduceva in "*Mountain of God*", e Julie pensò che gli italiani fossero sempre un po' megalomani.

Diego però non era sereno. Sentiva che se non avesse risposto a Carmine non sarebbe riuscito ad andare avanti nella conversazione. Si scusò e uscì un attimo dal locale, facendo finta che gli squillasse il telefono, e si sedette sui gradini di una casa a due passi da lì. Guardava lo schermo senza sapere bene cosa fare. In realtà, avrebbe voluto rivedere Carmine, ma se lo avesse incontrato non sarebbe mai guarito.

Per affrontare certe dipendenze ci vuole l'isolamento, per cui si fece coraggio e gli scrisse: "Stasera purtroppo ho una cena e non so a che ora mi libero. Proviamo domani". Le ultime due parole vennero scritte e cancellate talmente tante volte che ci volle l'arrivo della povera Julie – uscita a cercarlo con i bicchieri in mano – per fargli decidere di inviarlo nella versione "Proviamo domani".

«Scusa Julie, ma era una questione un po' delicata.»

«Spero non sia una cosa di cuore.»

Per un attimo, Diego ebbe la sensazione che lei avesse capito tutto.

«No, un mio amico è qui a Londra e ha qualche problema... dovevamo vederci per una cosa. Comunque non ti preoccupare, ora è tutto ok. Finiamo di bere e poi andiamo a questa cena?»

La prese sottobraccio con una confidenza un po' forzata e cercò di concentrarsi sul presente, preparandosi ad affrontare una serata all'insegna di sottoli, soppressata e 'nduja. Per darsi un tono, pensò che al posto dei friarielli – che poi dove li trovava? – fosse meglio prendere una bottiglia in enoteca. L'unico abbordabile era un vino cileno, ma l'importante era consegnarlo in una bella confezione e impressionare il calabrotto. Un tempo sarebbe stato felice di camminare per Londra con una ragazza al fianco, invece ciò che desiderava in quel momento era guardare il suo telefono, che gli consegnò un sms di Carmine piuttosto freddo: "Ok".

Gli aveva comunque risposto, e non ce l'aveva con lui. Julie prese quelle disattenzioni nei suoi confronti con filosofia, anzi si sforzò di fare finta di nulla.

«Sai che all'inizio pensavo tu fossi l'amante di Ornella?»

«Be', potrebbe essere un'idea.»

«Che tipa. Non ho ancora capito se è allegra o triste. A volte si ferma per chiacchierare, a volte scappa via... sembra una donna tormentata.»

«Le donne sono tormentate per definizione.»

Diego provava a riprendersi mettendo in scena tutto il repertorio del classico *fareniello*, lanciandosi in ardite traduzioni dal napoletano all'inglese che lo rendevano un po' ridicolo. Julie gli sorrideva e in fondo sperava di avere ancora qualche possibilità con lui.

Scesero a Sloane Square, in piena Chelsea, che a quell'ora brillava di lusso ed eleganza. Immaginando la sua cameretta a Kilburn, Diego pensò: "A facc' ro cazz'!".

Se solo l'avesse saputo Clara, che andava a cena con gli italiani di Londra Ovest, avrebbe smesso di rivolgergli la parola. Le case rosse e vittoriane, però, erano bellissime e sembravano abitate dalle bambole.

«Qui stanno comprando solo russi, arabi e cinesi, Diego... i più ricchi.»

«E i danesi no?»

«I danesi stanno bene in Danimarca.»

«E tu allora che ci fai qui?»

«Mi ero appena lasciata con il mio ragazzo e mi sono detta: sai che c'è? Vado a vendere fiori con mia sorella. Noi abbiamo sempre amato i fiori, perché hanno una vita breve, ma bellissima... una vita fatta solo di bellezza. E così mi sono fermata, *you know...*»

Diego riuscì finalmente a dedicarle qualche minuto di attenzione e si chiese quante persone erano scappate lì per dimenticare qualcuno: se Parigi era la città degli innamorati, Londra era la città dei profughi d'amore. Camminarono per Chelsea Road finché Julie si fermò per controllare il numero civico. Erano arrivati.

Si trovarono davanti a una casetta bianca, uno di quei posti che quando li vedi dici *wow*, e Diego capì che non bisogna mai dare i calabresi per scontati.

Fu Anastasia a comparire alla porta, accogliendoli con una rosellina in testa e un accenno di *'O sole mio* di benvenuto, che li fece subito ridere.

La casa si apriva su un salotto a luci basse e soffitti alti, dominato da divani neri, schermi al plasma, e un tavolo apparecchiato tipo rivista di architettura.

«Benvenuto» disse Nunzio stringendogli la mano.

Indossava una camicia con le iniziali ricamate e sopra un grembiule che smorzava la forma. Per un istante, Diego si sentì rassicurato, anche se non sapeva come comportarsi mentre il padrone di casa stava concentrato sul riso allo zenzero e le due sorelle finivano di apparecchiare.

«Scusa sto casino ma almeno per un piatto preferisco arrangiarmi da solo. A Londra non sa cucinare nessuno, nemmeno chi è pagato per farlo.»

«Ma, Nunzio... io pensavo fosse una cena calabrese!»

«No, dài... Non ti ci mettere anche tu a pensare che noi calabresi viviamo con il salame piccante nella valigia.»

«Ma a me il salame piccante piace...»

Nunzio andò ad aprire il frigo, tirò fuori un salamino e ne affettò un po' su un tagliere.

«Eccoti servito... appena arrivato da Lamezia.»

Diego si ricordò che con Carmine era cominciato tutto in una cucina. Nunzio, nel frattempo, aveva preso due bicchieri e li aveva appoggiati sul tavolo.

«Intanto non possiamo andare avanti a parlare se prima non facciamo un brindisi alla nostra salute. Vado pazzo per il vino cileno!»

«Be', anche io.»

Non era vero, ma ormai Diego era in vena di dire cose insensate. Dopo un paio di sorsi, chiese se poteva andare in bagno, il suo solito rifugio nei momenti di imbarazzo. Si sciacquò la faccia, curiosò tra creme e deodoranti, si guardò allo specchio e si sentì un po' più forte di prima. Le soste tecniche sono indispensabili quando non si è a proprio agio in un posto.

Tornò riguardando l'appartamento con quel misto di ammirazione e di "io comunque non ci vivrei". A un tratto gli venne il timore di doversi togliere le scarpe, visto che c'era anche un tatami, e non voleva rischiare il calzino bucato.

Decise però di vivere la serata senza stress, si avvicinò a Julie e le parole presero un loro brio grazie anche ad Anastasia, che parlava in un modo piuttosto buffo. Nunzio aveva deciso che se la sua ragazza voleva stare con lui doveva imparare l'italiano, e lei lo aveva preso alla lettera: i danesi sono i calabresi del Nord Europa. Anastasia era cresciuta con il mito del maschio mediterraneo e sognava di cucinare per suo marito davanti a lunghe tavolate di parenti vestiti di nero. In effetti, serviva con modi un po' da massaia, anche se i piatti, eccetto il riso, arrivavano dal reparto gastronomia di Harrods: un mix di patè, salmoni, ratatouille, formaggi francesi e ogni ben di dio.

«Sai, noi arricchiti siamo così» disse Nunzio a Diego, invitandolo ad alzare il bicchiere per fare cin cin. Si atteggiava da pappone e il riso allo zenzero venne un po' troppo allo zenzero, ma quando una cena è divertente il sapore dei piatti è meno importante.

Appena le due sorelle si misero a confabulare in danese, i ragazzi si ritagliarono uno spazio per loro:

«Tu mi sa che ti diverti a Londra, eh Nunzio...»

«Sì, ma non mi fido quasi di nessuno. Poi gli italiani di Chelsea sono noiosi... tutti a lavorare nella City. Io faccio import-export di arance, capisci? Con mio padre parlo solo in calabrese, ma lui ci tiene che io sia il fiore all'occhiello della famiglia... e allora mi ha messo in questa reggia per quando vengono a trovarmi i cugini. Ma io vorrei una vita normale!»

«Be', poi quando la fai cambi idea... E come va con Anastasia?»

«Bene, ormai ci frequentiamo da un po' di anni. Mi piace perché non mi sta addosso come le italiane che tra un po' ti soffocano... lavora regolarmente e non mi chiede mai un regalo... e tu, sei innamorato?»

Diego ci mise troppo a rispondere, perché non ricordava più dove aveva messo la maschera che aveva deciso di indossare.

«Lo ero, ma ora sono in un periodo di calma piatta.»

«Che fai domani?»

«Lavoro.»

«Ma di sera, che fai?»

«Forse ho un impegno, ma mi posso liberare.»

«Allora, visto che sei appena arrivato a Londra, ti porto a cena in un bel posto.»

Diego ebbe uno strano presentimento e una lieve eccitazione sembrava pulsargli sul collo, ma riuscì a controllarla. Forse non si trattava solo di Carmine, bensì di una questione generale. Non gli piaceva solo un ragazzo, ma i ragazzi.

Appena se ne rese conto, andò a cercare Julie, le riempì il bicchiere e le disse che non avevano ancora fatto un brindisi.

34

Ritornare in certi luoghi può essere doloroso, tanto più se non sono cambiati. E per Ornella la comunità non era solo il posto dove si era salvata, ma era soprattutto quel paesaggio, quei cipressi, quelle colline dove il pensiero si perdeva insieme alla solitudine.

Rivedendolo, le tornò in mente il parco di Hampstead e capì perché le piaceva tanto. Le ricordava quella specie d'infanzia che era stata la sua rinascita. Ripensò anche a Mr George, che non vedeva da un po' e che sicuramente avrebbe saputo trovare le parole giuste per interpretare il suo stato d'animo.

Aiutare qualcuno a morire, anche se condannato da un male, è un gesto che richiede coraggio, equilibrio e pietà. Ornella non era sicura di potercela fare, lei che in fondo si aggrappava alla speranza. E poi era sempre stata ligia alle regole, la cosa più importante se hai una qualsiasi forma di dipendenza: l'etica del dovere.

La Patti non aveva detto nulla, semplicemente l'aveva accompagnata a destinazione.

Arrivarono al tramonto, senza avvisare, a bordo di quella Seicento eroica che ormai la Patti sentiva come un prolungamento di sé. Altro che la cabrio rossa di Thelma e Louise. All'ultima sosta in autogrill il benzinaio le aveva chiesto: "Dove stai andando, bella bionda?" e lei aveva pensato che stava vivendo l'età migliore: perché ogni complimento ha il giusto valore e ogni occasione può essere una buona occasione.

Comunque il benzinaio non era proprio il suo tipo per cui si era presa il lusso di guardarlo con sufficienza.

Ornella nel frattempo era crollata e si era risvegliata all'uscita dell'autostrada, a Chiusi. Aveva chiesto soltanto: "Quanto ho dormito?". Avevano abbassato i finestrini per fare entrare quell'aria pura che non era cambiata da allora. Anche il cancello era sempre lo stesso, sembrava solo più piccolo e meno difficile da scavalcare. Quando videro le due entrate, per la prima volta si avvicinarono a quella dell'"albergo", e non a quella destinata ai ragazzi della comunità. Anche se facevano parte della stessa struttura, erano due mondi lontanissimi che non avevano alcun punto di contatto, se non il paesaggio esterno. Erano guarite.

Alla reception ebbero subito una buona notizia: don Rigoni non c'era, quindi addio al terrore di un nuovo reclutamento. Non potevano credere di trovarsi nella parte dell'ex convento che avevano sempre spiato da prigioniere e dove entravano ogni giorno solo per fare le pulizie, stirare e servire.

Stavolta erano ospiti.

La ragazza al desk aveva i capelli corti e qualche chilo di troppo che Ornella conosceva bene: quando non puoi innamorarti di nessuno, perché è questa la prima regola, ti resta solo il cibo.

Chiesero di Maria Grazia, la direttrice, a cui Ornella scriveva lunghe lettere un paio di volte all'anno, a Natale e a Pasqua. La chiamava la "santa", perché era stata lei, nel primo colloquio, a farle credere in se stessa e a convincerla a entrare. E Ornella non l'avrebbe più dimenticato. Era una donna che non si vedeva mai in comunità, ma appariva solo nei momenti in cui andavi in crisi e te ne volevi scappare, o per qualche giorno decidevi di non parlare più con nessuno. Come una fata turchina, lei tirava fuori la bacchetta magica nascosta nella sua voce calda e suadente e ti convinceva a restare.

A Ornella e alla Patti parve di risentirla – "come state oggi ragazze?" – mentre salivano le scale che le conducevano alla loro camera. Quando aprirono la porta, restarono un po' deluse: la stanza era più striminzita di quella dei tempi della disintossicazione, con due letti in ferro battuto piccoli e un po' sfondati, e solo un comodino tra i due.

«Diciamo che peggio non ci poteva andare, Ornella! Secondo me don Rigoni ci ha visto e ci ha fatto mettere qui.»

«Piantala, sempre a fare la perseguitata.»

«Senti non siamo venute qui per litigare... e soprattutto: ce ne possiamo andare quando ci pare! L'avresti mai detto?»

La Patti si tolse i tacchi e per un attimo pensò chi glielo facesse fare, di andare ancora in giro conciata così. Si sdraiò su quella che sembrava una brandina e Ornella fece altrettanto.

Erano finalmente lì senza protezione, senza controlli, senza dover recitare i salmi, potare le aiuole, pregare, servire alla mensa, dire perché sei stata zitta tutto il giorno, fare la spia, confessarsi, non guardare i ragazzi, non sognare l'amore, non fumare, non fare amicizia, non telefonare. Erano libere di entrare. Di uscire. Libere. Punto.

Ornella stava così bene sdraiata che decise che avrebbe parlato con la madonnina il giorno dopo. Tanto l'aspettava in cima a una scala e non si sarebbe sicuramente spostata da lì.

Poco dopo invece le due si spostarono al ristorante. La Patti si rimise i tacchi, anche se i piedi le facevano male, ma certe emozioni non hanno prezzo. Decise di truccare anche Ornella, perché non poteva farsi vedere più pallida di quando viveva in comunità. Lessero un menu scritto con un corsivo ridondante, come se fosse la *Divina Commedia*.

«Che ne dici di crostini misti, salumi e pecorino del frate, Ornella?»

«Tutto purché non ci sia origano. Ho scoperto di essere intollerante.»

La Patti scoppiò a ridere a voce così alta che Ornella capì che la sua amica la conosceva proprio bene. Stette però al gioco, e fece le ordinazioni raccomandandosi che non ci fosse quell'aroma.

Per rompere per sempre con il passato, decisero di stappare una bottiglia di Brunello dell'anno in cui si erano conosciute. Poi, ovviamente, quando si resero conto del prezzo, confidarono in un nuovo intervento della madonnina.

Alla fine della serata, si avventurarono nella parte dell'ex convento chiusa al pubblico per cercare la stanza magica, dove avevano luogo i loro "Pomeriggi con Sentimento".

Le vie d'accesso erano tutte sbarrate e la Patti iniziava a non poterne più. Ma Ornella la convinse a resistere, incitandola come se si trattasse di una gara di resistenza. Conosceva ogni anfratto di quell'edificio e finalmente trovò la porticina che, con uno strano movimento della maniglia, si riusciva ad aprire.

Sembravano due ladre senza paura, e sia la Patti sia Ornella si sentivano come il loro mito: Eva Kant. I ragazzi della comunità erano già tutti a dormire, per cui le due amiche si muovevano nella quiete più totale.

Alla fine la trovarono, la loro stanza. Quella in cui si erano innamorate dei libri e avevano fatto innamorare tanti ragazzi con le storie di *Anna Karenina, Guerra e pace, Cime tempestose.*

Tutti i pomeriggi si ritrovavano lì e leggevano insieme qualche pagina, oppure Ornella e la Patti la raccontavano agli altri ragazzi sentendosi un po' le professoresse. Le sedie erano sempre le stesse, anche se disposte in un modo un po' diverso da come se lo ricordavano. La Patti si sedette e Ornella cominciò a recitarle a memoria l'inizio della *Lettera scarlatta,* come ai vecchi tempi.

Molto spesso cambiavano le storie perché non le ricordavano bene neanche loro, ma difficilmente i ragazzi andavano poi a controllare.

Anni dopo, ciascuna a suo modo aveva continuato a coltivare quell'amore, facendone una professione.

«Avresti mai pensato di tornare e non trovare nessuno ad attenderci?»

«No... è la prima volta, eh Ornella? Però grazie per avermi portato qui. In fondo i nostri "Pomeriggi con Sentimento" erano una cosa bella, no? Abbiamo fatto leggere un sacco di persone che non si sarebbero mai avvicinate a un libro.»

«Qualcuna, a dire il vero, l'abbiamo anche fatta scappare.»

«E vabbè, meno male che c'è ancora un po' di gente ignorante. Altrimenti come faremmo a spiccare noi?»

Stettero un po' in silenzio, ognuna dentro il proprio viaggio sentimentale.

Dovettero però lasciare di corsa la stanza perché qualcuno, all'improvviso, aveva iniziato a dire "I ladri! I ladri!", e loro se l'erano data a gambe come due tossiche al primo scippo.

Si addormentarono vestite e per qualche ora riuscirono a non pensare né ad Axel né al giardiniere.

Fu il gallo a svegliare Ornella, mentre la Patti continuava a russare. Si preparò in fretta cercando di fare meno rumore possibile. Il cielo era opaco, con qualche nuvola che sembrava addensarsi sul monte Cetona.

Scese le scale e andò a fare un giro per i luoghi che erano ancora lì, immobili, e che l'avevano vista partire all'improvviso, come tutti gli addii alla comunità. Perché se non parti in fretta, non parti più.

La sua passeggiata era una sorta di rito preparatorio all'incontro con la madonnina. Prima si soffermò sulla veranda da cui si vedeva tutta la valle: lì sotto c'era ancora la casa gialla che aveva sempre sognato di avere, e tutti le dicevano che era la più brutta. Ma a lei non importava, e si era fatta grandi film sul posto dove sognava di vivere felice con Axel, tutti e due puliti.

Ornella riguardò la casa e capì che non era poi un granché. Era comunque certa che quei luoghi contenessero le risposte che ancora a lei mancavano. Si addentrò nel bosco a cercare il sambuco che le era sempre stato amico. Le tornò in mente un tramonto trascorso con un ragazzo della comunità, a fantasticare sul loro futuro. Lui come scultore, lei come commessa della Benetton. Peccato che lui venne trovato impiccato poche settimane dopo che era scappato da lì.

Provò a ricordare tutti i ragazzi che erano fuggiti, di cui non aveva avuto più notizie. Rivide quei letti vuoti, all'improvviso, al mattino, come un brutto presagio. Ma la morte all'epoca faceva parte della vita ed era una cosa con cui si imparava a convivere.

Il sambuco era ancora più rigoglioso, pieno di fiori bianchi che sembravano darle il benvenuto. Ornella si sedette ai suoi piedi, appoggiando la schiena al tronco che conosceva bene. Stette con gli occhi chiusi per cercare di trovare la concentrazione. Il tempo non esisteva più, e nemmeno il dolore. C'era solo la natura e il suo cuore che sembrava aver trovato pace. Non sarebbe mai più voluta partire.

Fu il telefono a risvegliarla, e si vergognò per aver scelto la suoneria di *Guantanamera*. La Patti doveva essersi svegliata.

«Ornella, *how are you*?»

«Bernard, sei tu.»

Lei accolse quella telefonata come l'abbraccio di cui aveva bisogno.

«Ho visto che non sei a casa da qualche giorno, ero passato a trovarti alla fine dell'incontro con gli inglesi, ma poi non ho avuto il coraggio di entrare... In libreria sono stati molto evasivi e allora mi sono preoccupato.»

«...»

«Ornella ci sei?»

«Sì, sì, ci sono. E sono felice di sentirti. Come sta la mia casa?»

«Oh bene, il tuo cipresso e il tuo nano sono sempre lì. E io aspetto ancora un tuo appuntamento per la cena.»

«Tu sei una bella persona, Bernard. Ora sono in Italia... ma appena torno mi faccio viva. Te lo prometto.»

«Ci tengo e ti aspetto.»

Quando mise giù le prese un tormento, come se avesse tolto il tappo che chiudeva le sue emozioni che ora scorrevano con la forza dirompente di una diga. Ormai poteva vivere senza rete, un'acrobata che finalmente si prende i suoi rischi. Pianse in silenzio accompagnata dal canto degli uccellini.

Restò un po' a respirare quella quiete, si fece coraggio e tornò indietro. Era arrivato il momento di parlare con la madonnina.

Rientrò nell'edificio e salì al piano superiore, conoscendo alla perfezione i punti in cui gli scalini scricchiolavano. Non voleva che qualcuno la vedesse. La madonnina era ancora lì, dipinta in un quadro quasi dimenticato, messo in un punto che nessuno poteva notare. Prigioniera di quella cornice e di un angolo che vegliava da chissà quanti anni.

Per questo Ornella si era affezionata a lei: era un po' sfigata per essere una madonna. Ma il suo sguardo ottocentesco non cambiò espressione, quando lei la guardò. Restò immobile come aveva sempre fatto, anzi Ornella ebbe quasi l'impressione che non l'avesse neppure riconosciuta. Chissà quante persone aveva visto e poi anche la madonnina aveva la sua bella età.

La fissò, cercando in quell'immagine una risposta alla domanda: "Ora che sappiamo che Axel non si salverà, posso aiutarlo a morire felice?".

Restò in attesa, speranzosa di un segno, ma regnava il silenzio. Dopo poco, una finestra sbatté con violenza per via della corrente, e un piccione volò via facendo un verso stridulo.

A Ornella sembrò un messaggio piuttosto chiaro e ci lesse quello che voleva: un no. La madonnina le stava chiedendo di non intervenire, e pazienza se non si era ricordata di lei, se non l'aveva riconosciuta, e se quegli anni di castità non erano serviti a niente. Le tornò in mente *Living for the City* di Stevie Wonder e iniziò a cantarla a bassa voce. Quella melodia sembrava racchiudere tutto il suo stato d'animo. Si sentì liberata dalla responsabilità, ed era certa che anche Axel avrebbe capito.

Stette ancora lì a fissare quel quadro in attesa di una nuova conferma, inutilmente. Per un attimo Ornella ebbe il dubbio che fossero tutti suoi trip del passato, per cui si allontanò dalla madonna con un pizzico di scetticismo. La sua risposta l'aveva avuta comunque, e questo era l'importante.

Quando rientrò in camera, trovò la Patti affacciata alla finestra a guardare il chiostro.

«Eri lì, sai, la prima volta che ti ho visto. Io ero appena arrivata e tu avevi tutti intorno a te ad ascoltare le tue storie... eri bellissima, Ornella, come lo sei adesso. Sei già stata dalla madonnina?»

«Sì, ma non mi ha filato più di tanto... comunque mi ha detto di no.»

«Ornella, quella madonna è solo la tua volontà. Quando te lo metterai in testa? C'è qualcosa che però mi dice che dobbiamo tornarcene in fretta, sai... Mi sento un po' inquieta.»

«Anche io. Andiamo a fare colazione e ripartiamo?»

«Ci sto, sorella.»

Scesero con il bagaglio che non avevano nemmeno disfatto. Nella sala della colazione, che era rimasta la stessa di quando andavano a spazzare, ebbero una vera apparizione: Maria Grazia era lì, ignara della loro presenza. La direttrice della comunità che le aveva viste arrivare e partire, che le aveva ascoltate e sgridate, ricopriva quel ruolo con la stessa missione.

Disse solo: «Le mie ragazze sono tornate».

Le si avvicinarono e la strinsero come si fa con un famigliare partito per l'esilio. Tutti quegli anni trascorsi si cancellarono in fretta, e Ornella non ebbe il coraggio di dirle la ragione della sua visita. Maria Grazia chiamò subito in reception per dire che le due amiche erano ospiti della comunità, malgrado la bottiglia di Brunello da centoventi euro, che avrebbe scoperto solo dopo.

«Hai dei capelli bellissimi» disse a Ornella, ricordandole tutte le volte che l'aveva portata di nascosto dal parrucchiere. «E tu finalmente ti puoi mettere i tacchi» disse invece alla Patti, che però non riusciva più a seguirla perché aveva sentito arrivare un furgoncino.

«Scusate un attimo» disse uscendo, lasciandole sole.

Il giardiniere era lì.

Stava scaricando sacchi di terra e alcuni ragazzi lo aiutavano. Era molto cambiato, e la sua pelle sembrava consumata dall'abbronzatura. Ma i gesti che l'avevano fatta innamorare erano rimasti gli stessi, così come la sua tuta da lavoro, anche se le bretelle sembravano trattenere una pancia che ai tempi non c'era. Per un attimo lui ebbe la percezione di essere osservato, così s'interruppe, la guardò e le sorrise. «Buongiorno signora» le disse. Non l'aveva riconosciuta. La donna che lo aveva amato di nascosto, che si era messa a studiare piante e concimi pur di poter fare un po' di conversazione, gli era passata completamente inosservata. Forse aveva esagerato con il fard.

«Buongiorno a lei» gli rispose, mentre lui era già concentrato a scaricare altri sacchi di terra.

La Patti rientrò cercando di fare finta di niente. Maria Grazia, nel frattempo, era andata alla sua scrivania e aveva preso una busta per lei. «Questa è una lettera che Ornella ti aveva scritto tanti anni fa, dopo che avevi lasciato la comunità. Non so come, ma non era mai stata spedita. L'ho conservata sapendo che un giorno saresti tornata. Leggila quando sentirai che è il momento, e sappi che non ho la più pallida idea di cosa ci sia scritto dentro.»

La Patti venne investita dall'emozione, che non riuscì a compensare la delusione appena provata con il giardiniere. Maria Grazia la guardò e capì cosa era appena successo, perché neanche lei aveva dimenticato quella storia. Ma non le fece domande, semplicemente invitò lei e Ornella – che come al solito non si era accorta di nulla – a fare colazione al centro della sala.

Mangiarono frutta fresca e crostata di ciliegie, bevendoci sopra un cappuccino. E così, per una volta, furono tutte e tre uguali. Ornella e la Patti avevano sognato per anni di assomigliare a quella donna. Ora, finalmente, erano sedute allo stesso tavolo.

35

La Patti non disse a Ornella di aver rivisto il giardiniere, e che le aveva detto "buongiorno signora" senza riconoscerla. Per il momento, voleva tenerselo per sé. Fu un duro colpo, che andò a minare le sue labili certezze, perché non c'è affronto peggiore di non essere riconosciuti da chi hai amato tanto, anche se sono passati anni. Vuol dire che non ti ha mai guardato veramente negli occhi.

Come primo effetto, la Patti schiacciò sull'acceleratore. Ormai era convinta che non esistesse auto migliore della Seicento, anche se in realtà doveva solo scaricare la sua rabbia. Per distrarre Ornella, che la guardava perplessa, le disse che ne desiderava una, e che quella aveva bisogno di essere sbloccata dalla monotonia cittadina. Quindi meglio fare i centotrenta in autostrada. E se ogni tanto la marmitta dava qualche colpo di tosse, era più rock.

Il ritorno da Cetona fu più semplice dell'andata, anche se il loro umore andava a fasi alterne, passando dalla nostalgia al rimpianto. L'abitacolo profumava quanto un duty free, perché Maria Grazia aveva regalato a Ornella un mazzo di fiori di lavanda.

La giornata continuava a essere grigia, e sull'Appennino tra Firenze e Bologna la Patti cominciò ad avere qualche ripensamento sul fatto che la Seicento dovesse essere spinta alla massima velocità.

Ornella chiamò Piero per rassicurarlo che avrebbe riavuto la macchina in serata, anche se prima doveva passare da Axel in ospedale. Lui le disse di stare tranquilla, che l'avrebbe aspettata, che potevano andare a cena anche tardi, e lei pensò soltanto che non avrebbe avuto più fame per settimane.

Arrivarono a Bologna con qualche patema e si sentirono entrambe sollevate, perché le curve dell'Appennino non erano proprio una specialità della Patti. Riuscirono anche a riprendere Radio Nostalgia, che trasmetteva *Station to Station* di Bowie facendole tornare ai tempi passati.

Ornella ripensò a Bernard, a quella chiamata inattesa che aveva ricevuto proprio sotto il suo sambuco, ma non ci volle vedere alcun auspicio. Lei era ancora la moglie di Axel. Finché fosse vissuto, sarebbe stata devota a lui. Più che una donna, sembrava una vedova meridionale.

A Verona furono sorprese dalla pioggia, che veniva giù con violenza. Ornella chiese alla Patti di lasciarla davanti alla clinica e di riportare subito l'auto a Piero.

«Ma poi cos'hai intenzione di fare? Io devo rientrare a Milano perché se slitta la trilogia è un casino e poi ti tocca assumermi.»

«Lasciami vedere Axel e mi sarà tutto più chiaro.»

«Ricordati che non sarebbe male se tu facessi visita ai tuoi. Se tua madre dovesse scoprire che sei qui, non sarebbe contenta.»

La Patti era peggio di una cartella di Equitalia, ed era una delle ragioni per cui Ornella ogni tanto la odiava.

«Prima devo vedere Axel. Poi decido. E comunque Londra mi aspetta.»

«*Life is bigger* cantano i Rem. Ricordatelo. La vita sa sempre qual è la priorità, e se il tuo cuore ti ha portato qui una ragione ci sarà.»

«Oddio sembri Susanna Tamaro!»

«Scusami.»

Anche in momenti come questi, non perdevano mai la spensieratezza. La Patti la lasciò scendere davanti alla clinica senza particolari raccomandazioni. Le disse solo: «Ci vediamo dopo». Ornella portò con sé il mazzo di lavanda, che forse era troppo ingombrante, ma lei voleva un po' di Maria Grazia con sé.

Alla reception trovò la ragazza del giorno prima che l'accolse con un'espressione piuttosto seria. «La stanno aspettando» le disse senza aggiungere altro.

Ornella la seguì al piano di sopra, fino alla porta, dove venne fatta attendere. La ragazza entrò e dopo poco uscì accompagnata da una signora vestita di nero che lei aveva conosciuto bene: la sorella di Axel.

Si salutarono con una stretta di mano gelida: «Sei arrivata tardi» le disse, «Axel se n'è andato stamattina».

Ornella sentì un tonfo nella testa e un tuffo al cuore, e si aggrappò ai suoi fiori.

Si mise in modalità stand by, la stessa che assumeva con tutti i clienti dopo una sfuriata. Sapeva che la sorella di Axel la odiava perché la riteneva responsabile della caduta di suo fratello nel tunnel. Ma ci sono tunnel dove entri solo se lo vuoi tu.

«Vorrei salutarlo» disse Ornella aprendo la porta e chiudendosela subito alle spalle. In fondo lei era la donna che più l'aveva amato, aspettato, pregato.

Entrando, non sentì più i suoi respiri.

Axel non era cambiato dal giorno prima, sembrava solo più piccolo. Lo avevano vestito di nero, come una bodyguard da discoteca. Ornella vide una flebo parcheggiata in un angolo e due fialette in un cestino, ed ebbe il sospetto che Axel avesse trovato un complice.

Forse no. Lo guardò e risentì nelle orecchie la finestra del convento sbattere, facendo volare il piccione.

Dopo poco la sorella entrò nella stanza.

«So che sei ancora sua moglie, ma voglio che tu sappia che per noi non sei nessuno. Sono vent'anni che sei sparita. Quindi ti faccio stare qui solo perché l'ho promesso a mio fratello ieri sera, e sono di parola. Ma non ti vogliamo al funerale.»

Ornella si sentì ancora la tossicodipendente di vent'anni prima, ma era troppo amareggiata per mettersi a gridare. Guardò Axel, che restava immobile nel suo abito. Sul comodino c'era una busta chiusa con su scritto "Lady Ornella". Gliel'aveva lasciata suo "marito" la sera prima.

«Mio fratello mi ha detto di darti questa. L'ha scritta ieri, quando sei andata via. Sappi che se è un testamento lo impugneremo perché Axel non c'era più tanto con la testa.»

«Lo conosco meglio di voi. Non può avermi lasciato nulla che possiate desiderare.»

Lo disse con un tono di cui si sentì finalmente fiera. Decise di voltarsi senza più guardare Axel né sua sorella e uscì dalla stanza.

Lui era dentro la sua busta ed era in compagnia del suo mazzo di lavanda.

Per essere maggio, sembrava autunno. L'acquazzone aveva messo in ginocchio la circolazione e ora tirava un vento fastidioso. Ornella era uscita a piedi dimenticando di chiamare la Patti, Piero, la libreria.

C'era solo lei con il suo passato, che ora si era chiuso. Si avviò per il centro accelerando il passo, rischiando di essere investita. Dopo vent'anni di guida a sinistra, attraversare la strada può diventare un'impresa. La Patti le aveva scritto che era in albergo ad aspettarla: in realtà guardava scorrere l'Adige, in tumulto come il suo stato d'animo, cercando di capire se il giardiniere l'avesse riconosciuta. Rivedeva la scena, mentre lui scaricava i sacchi di terra, e si chiedeva come avesse potuto non fermarsi a parlare con lei. O forse era solo timido e non aveva avuto il coraggio di dirle di più. Però aveva interrotto il suo lavoro, cosa che non faceva mai. Quindi, comunque, l'aveva notata, si diceva per consolarsi.

Ornella, intanto, continuava il suo peregrinare. Voleva un posto dove crollare. Si ritrovò in piazza delle Erbe, che dopo il temporale incarnava una nuova solitudine. Un filo invisibile la guidava nel suo girovagare, e in via Cappello trovò l'unico posto a Verona dove si sentiva compresa: il balcone di Giulietta. Quello da cui aveva sempre sognato di affacciarsi da adolescente e che ora era circondato solo dai biglietti stucchevoli degli innamorati. Si mise sullo scalone ancora bagnato del negozio vicino, appoggiò di fianco a sé il mazzo di lavanda e aprì la busta. Un foglio ben piegato e una calligrafia che non era cambiata.

"Cara mogliettina,

appena sei uscita dalla mia stanza ho capito che non avresti mai avuto il coraggio di aiutarmi a morire... ti conosco e so che sei una bigotta, sei sempre stata una bigotta. Avresti avuto sicuramente paura di finire all'inferno e ti saresti sentita in colpa per il resto della tua vita. Tu invece l'inferno lo hai già conosciuto e ci sei stata dentro vent'anni. Quell'inferno era la droga e la droga ero io. È vero che quando ci siamo conosciuti eravamo già fatti, ma tu eri agli inizi e ti saresti potuta liberare facilmente... invece ti sei votata a me, che però ero votato a lei e non c'è stato verso di cambiare le cose.

Non sono mai riuscito ad amarti quanto ho amato lei, ma delle donne che ho incontrato tu sei quella che più mi ha reso felice. Solo a te ho cantato le serenate... Va bene... quasi solo a te. Ti ricordi quante? E non so se ti piacevano perché te le cantavo io o perché ci eravamo appena fatti. Purtroppo la droga ci ha alterato anche i sentimenti per cui chissà se ci saremmo mai amati e sposati senza di lei. Forse no, forse avremmo dovuto imparare un nuovo linguaggio... quello che sto provando a usare io, ora, anche se ho un dolore lancinante allo stomaco che spero mi abbandoni presto.

Da qualche settimana sono finalmente pulito e vedo che il mondo non fa poi così schifo. Capisco anche la differenza tra notte e giorno, sole e veglia. Tutto questo solo per dirti grazie per essere tornata a trovarmi, e per non avermi mai chiuso la porta a Londra, né il telefono quando ti chiamavo con le mie paranoie. Ora sei finalmente libera di vivere senza questa zavorra, perché gli egoisti come me ti fanno affogare anche se sei cresciuta in riva al mare. Ora potrai finalmente diffondere l'amore per il quale tutti ti hanno sempre voluto bene... io per primo. Come avrai intuito, quando ho capito che non mi avresti ammazzato, ho trovato un'alternativa e stasera qualcuno mi aiuterà... Sai che con un po' di soldi si ottiene sempre tutto, anche la morte. Che per me equivale alla vita. Alla tua. Vorrei poterti dire che muoio per te, ma muoio per non soffrire più.

Ciao Ornella, ora piangi un po', ma poi smettila. Ti ho lasciato un disegno perché ora che non potrò più suonare le serenate dovrai cantarmele tu.

Il tuo bandolero stanco,
Axel"

Ornella guardò dentro la busta e ritrovò un piccolo disegno fatto solo a penna. C'era lei, seduta sulla sedia dell'ospedale, con gli occhi segnati e un sorriso indeciso. Aveva un fiorellino in testa e una chitarra al collo. Ornella alzò gli occhi al cielo e capì che aveva ricominciato a piovere.

36

Ci sono sere in cui lo specchio non sembra mai darti ragione. Dopo improbabili tentativi, alla fine Diego si vestì con mocassini, jeans, giacca e senza cravatta. «Ma sì, senza cravatta. Che teng'a vere'!» disse.

Nunzio gli aveva dato appuntamento alla stazione di Tower Bridge alle nove. Aveva appena smesso di piovere e l'aria restava umida, mentre i passanti avevano addosso una strana malinconia.

Procedendo a passo spedito, Diego ripensò a Napoli in quel momento. Chissà se c'era già tanto traffico sul lungomare e quanti scooter stavano sfrecciando davanti al Maschio Angioino, con quelle traiettorie da videogame. Londra invece reagiva composta a tutto, e anche il clacson aveva una sua eleganza.

Carmine non si era fatto vivo per tutto il giorno e Diego si era sforzato di distrarsi e di trattenersi.

Quando incontrò Nunzio, era già un po' sudato mentre l'altro sembrava un manichino di abiti su misura, con tanto di Church's ai piedi. Rispetto alla sera prima pareva più adulto, e questo Diego non se lo aspettava.

«Allora, come è andata oggi in libreria?»

«Alla grande... anche se quello è un lavoro complicato.»

«Be', devo tornare a contribuire, anche se io leggo poco.»

«Come la maggior parte degli italiani. Sei un italiano tipico.»

«Italiano medio.»

«No, gli italiani medi non abitano a Chelsea, Nunzio.»

«Quelli sono i miei genitori, te l'ho detto. Si sono fatti il mazzo, hanno avuto fortuna, e io cerco di condividerla con chi se lo merita.»

«E io me lo merito?»

«Be', almeno un antipasto sì, dài. Poi vediamo come ti comporti.»

Diego non avrebbe potuto sentire parole migliori. Non doveva pagare la cena e a Londra questa è sempre una grande notizia, soprattutto se mangi all'Aqua Shard: da lì, si vedeva tutta la città. Iniziò a girarsi intorno cercando l'attenzione delle ragazze come a dire "Ehi, guardatemi! Sono qui seduto e voi siete ancora al banco!", ma nessuna se lo filava. Agli altri tavoli mangiavano come se fosse tutto naturale, mentre lui non riusciva a stare fermo sulla sedia.

«In questo momento capisco perfettamente cosa provi, ecco perché ti ho portato qui.»

«Non avrei mai pensato che si potesse vedere Londra dall'alto senza salire sulla ruota.»

«Tu sì che sei un italiano medio!»

«Io sono un napoletano medio.»

«Quindi vorrai bere champagne.»

«Mi pare il minimo.»

Diego non sapeva che partita stesse giocando, ma stava bene e questo gli bastava. Il lusso, poi, è sempre fonte di euforia.

Una chiamata interruppe i primi convenevoli e Nunzio rispose con un tono piuttosto serio. Era Anastasia. Lui le disse che era a cena con un amico senza aggiungere molti dettagli. Appena mise giù, chiese una bottiglia di champagne e lo fece assaggiare per primo al suo ospite. Si guardarono negli occhi, e a Diego sembrò che stesse cominciando un altro film. La tartare in arrivo lo gasò ancora di più.

Fu il suo telefono stavolta a interromperli di nuovo. Carmine gli aveva appena scritto: "La mia ragazza è k.o. dalla stanchezza e io sono in giro da solo. Se ci sei ti raggiungo, dimmi dove... non mi deludere".

Nunzio lo aspettava per ordinare il resto, ma capì che stava succedendo qualcosa, mentre Diego vedeva la sua vita scorrergli davanti alla velocità della luce. Voleva e doveva incontrare Carmine quella sera, altrimenti sarebbe impazzito.

«Tutto ok, Diego?»

«Sì... più o meno... un mio amico è in un momento di difficoltà e vorrebbe parlarmi di persona, però ora non mi pare il caso.»

«Be', se è un vero amico invece devi andare subito. Finisci la tartare e vai...»

«E tu?»

«Io ormai sto qui e ceno da solo.»

«Mi spiace.»

«Ma va'. Quando hai una bella vista, una bottiglia di champagne e sai quello che vuoi, la serata è sempre piacevole. Dài, risolvi il tuo problema e ci sentiamo domani. Ci tengo, eh.»

Gli strinse forte il bicipite e Diego lo tese per far sentire di che pasta era fatto. Lo salutò con un po' di imbarazzo misto a una felicità che non sapeva contenere. Carmine gli aveva scritto "non mi deludere" e lui si era sciolto. Al diavolo la cena in uno dei posti più suggestivi di Londra.

Appena fu di nuovo in strada tra i comuni mortali, gli scrisse l'indirizzo di casa sua, con tanto di indicazioni di metropolitana. Mentre correva come un pazzo per avere il tempo di arrivare prima, farsi un'altra doccia e dare una sistemata alla camera, ripensò al fatto che Nunzio non aveva detto alla sua ragazza che era con lui. In quel momento, però, gli interessava solo arrivare in tempo.

Appena fu dietro la porta di casa, sentì un brusio che lo insospettì. La cucina era invasa da ragazzi greci che stavano seduti intorno al tavolo a mangiare *souvlaki with pita*. Il suo coinquilino aveva la serata libera e aveva deciso di invitare un po' di gente senza nemmeno consultarlo. Diego tirò dritto in camera nell'indifferenza generale. Fu tentato di avvisare Carmine che l'appartamento era occupato dal popolo greco, ma aveva il terrore che lui cambiasse idea. Per cui fece finta di nulla e cercò di riordinare la stanza come poteva. Cambiò anche le lenzuola. A un certo punto ebbe il dubbio di essersi messo troppo profumo e allora tornò in bagno a lavarsi il collo. Sembrava schizofrenico.

Per fortuna Carmine arrivò senza troppi problemi, se non quello di avere solo mezz'ora. Non gliene importava di tutta quella gente in casa, anzi cercò pure di socializzare dicendo qualche ovvietà su Corfù, che era l'unico posto dove era stato.

Diego accettò suo malgrado quella pantomima cercando di gestire la tensione come poteva. Quando finalmente riuscì a trascinarlo in camera, non ci fu più nulla di cui parlare.

Fu un corpo a corpo ad alto tasso erotico, una lotta che Diego sapeva di aver perso in partenza. Riuscì comunque a dare il meglio di sé.

«Mi hai fatto *arrecriare*» gli disse alla fine Carmine senza aggiungere troppe parole, «ma se non torno subito in albergo la mia ragazza mi lascia» aggiunse mentre si rivestiva in fretta controllando di non avere troppo profumo addosso.

«Non vuoi che ci beviamo una birra? Ci sta un bel pub qua sotto.»

«Ma che, sei matto? Devo andare, sai com'è. Comunque mi ha fatto piacere vederti. Oh, io vado... magari in questi giorni riesco a trovare un'altra ora, eh.»

«Magari.»

«Mi raccomando, salutami i greci. Una faccia, una razza!»

Uscì senza più toccarlo, come se fosse un completo estraneo. Appena chiuse la porta, Diego sentì che in cucina avevano cominciato a ballare il sirtaki. Mise la testa sotto il cuscino e pensò che forse avrebbe fatto meglio a restare in cima al grattacielo a bere champagne.

37

Quando Ornella rientrò nella camera che guardava l'Adige, trovò la Patti seduta sul letto davanti a un plico di fogli. Leggeva e ricorreggeva le bozze di *Angeli come noi* cercando di non vomitare più. Era sempre più convinta che il giardiniere fosse stato un'allucinazione, e comunque era troppo ingrassato rispetto ai suoi sogni di ragazza.

In realtà, pensava alla sua amica che aveva voluto restare sola e non sapeva se era stata una buona idea. Ornella entrò con una calma che strideva con il suo solito passo, gli occhi dolci. Quegli occhi avevano versato troppe lacrime, prima al balcone di Giulietta e poi nella Corte delle Sgarzerie.

«Axel è morto.»

Inavvertitamente, la Patti strinse il pugno in segno di vittoria. Il silenzio della stanza era interrotto dal rumore della goccia del lavandino che continuava a scandire il tempo.

«Per te era già morto da tempo, Ornella. Ti ha voluto fare un regalo, salutandoti e lasciandoti andare. Ora puoi farlo.»

«E perché mi sento così male?»

«Perché pensi che bastino le preghiere per far star bene le persone. Invece devi accettare che non puoi cambiare le cose... Ci restano solo i sogni, Ornella. Te li ricordi i sogni?»

«I miei sogni sono irrealizzabili.»

«E non ne hai uno realizzabile, stasera?»

«A parte morire?»

«A parte morire, ovvio.»

Ornella ci pensò un attimo. Le venne in mente una trattoria del centro, ci passava sempre davanti e ogni volta che non era strafatta s'immaginava che lei e Axel, appena fossero diventate persone normali, sarebbero andati a mangiare lì, come tutte le coppiette.

«Vorrei andare a cena da Ugo.»

«Chi è?»

«Un ristorantino dove da ragazza mi sembravano tutti felici. Se c'è ancora è in centro, vicino a Porta Leoni.»

«Perfetto. Allora vai lì stasera con Piero.»

«Ma io non ho fame. E perché poi con lui?»

La Patti parlava mentre controllava se avesse dimenticato qualcosa in giro nella stanza. In realtà, voleva parlare a Ornella senza guardarla negli occhi.

«Gli ho restituito la macchina e gli ho detto che ti consegnavo a lui per stasera. Io devo tornare a Milano altrimenti mio marito mi lascia in mezzo a una strada. Da noi c'è un problema con l'impianto idraulico e lui sta dormendo dalla zia Lucrezia. Quindi ti lascio immaginare. Ti prego stasera non fare cazzate.»

«Piantala.»

«Quando torni a Londra?»

«Credo domani. Non ha più senso che io stia qui. Tra l'altro la sorella di Axel è stata durissima con me.»

«Perché è sempre più facile assolvere i propri cari e condannare gli altri.»

«Ma io stasera non so se ce la faccio a mangiare.»

«E allora bevi, che ti riesce sempre bene. Ma non puoi stare qui con il tuo mazzo di lavanda. Axel avrebbe voluto che tu uscissi.»

«Ma non gli darà fastidio se esco con Piero?»

«No, perché sa che tanto tu non lo vuoi.»

«Ma povero Piero!»

«È la verità. Non l'hai mai voluto... E mi raccomando, prima di partire devi rimettere piede nella casa dei tuoi.»

«Sai che non me la sento di tornare in quella casa. Se mi vedono i vicini...»

La Patti la guardò dritto negli occhi e, per una volta, alzò la voce.

«Lo vuoi capire che non c'è più tempo? Lo vuoi capire, cazzo? Hai un grande privilegio, Ornella: hai potuto rivedere tuo marito... hai i tuoi genitori ancora in vita, puoi salutarli... puoi ancora sentire le loro mani calde. E ricordati che tutto il bene che ti sta capitando te lo meriti!»

Si sistemò il vestito perché era l'unico modo che aveva per sbollire. Si rese però conto che stava per perdere il treno, per cui si sbrigò a salutarla.

«Sei sempre la sorella che non ho avuto» le disse lasciandole trecento euro in contanti per il volo. «Offre la cariatide» aggiunse.

Rimasta sola, Ornella accese la televisione. Aveva paura del vuoto e così si mise a guardare un canale di televendite che offriva a un prezzo stracciato un nuovo attrezzo per assottigliare le sopracciglia. Si buttò sotto la doccia e ci restò più di mezz'ora, finalmente alla temperatura che desiderava. Niente come una bella doccia sa prendersi cura di te.

Piero la passò a prendere alle nove.

Entrando da Ugo, le parve quasi di varcare l'ingresso di un luogo sacro. Nessuno più di lei poteva capire cosa stesse provando. Le diedero uno dei tavoli che aveva sempre visto solo da fuori. La tovaglia era giallo sbiadito, ma era la più bella che potesse immaginare.

Stava ricominciando a vivere, e lo stava facendo con l'amico che non l'aveva mai tradita. Sul menu c'era scritto: "Serviamo prodotti per celiaci, e se avete qualche intolleranza alimentare segnalatela immediatamente al nostro personale di servizio".

Ornella non ci pensò su due volte e disse che lei aveva problemi con l'origano, ma non le diedero molta soddisfazione. Ordinarono baccalà mantecato e risotto all'Amarone, che lei non ricordava più che sapore avesse. Non era felice come aveva sognato all'epoca, ma si sentiva comunque bene.

Mentre si sforzava di mangiare, pensava che se avesse scelto Piero forse a quel tavolino si sarebbe seduta già da anni. L'avrebbero salutata con un po' più di entusiasmo e magari le avrebbero offerto una flûte di prosecco e una tessera fedeltà.

Non ebbe il coraggio di dirgli che Axel era morto, perché era un po' ammetterlo anche a se stessa, e lei non ci voleva pensare.

Per un attimo Piero provò a fare discorsi allusivi su come era bello rivedersi dopo decenni, che quella era la loro seconda giovinezza, e Ornella realizzò finalmente che lui era uscito in giacca e cravatta.

Era ancora innamorato.

Ci sono persone che non ti dimenticano malgrado tu faccia il possibile per renderti invisibile. Loro non ti scordano, anzi mettono il tuo fantasma sopra un altarino sperando in una tua distrazione, o ricomparsa, o debolezza. Solo una persona che la amava veramente avrebbe lasciato la sua auto alla Patti.

A Ornella venne uno strano attacco di riso. Una forma isterica di difesa che mise Piero in imbarazzo, facendogli ordinare una mousse e due bicchieri di Recioto. Lei poi riuscì a inventarsi qualche storia delle sue, e lui pensò che fosse semplicemente un po' stralunata. Gli fu chiaro che era meglio non insistere, e così iniziarono a parlare di Londra, e quando vieni a trovarmi, e come va la libreria. Fu alla parola "libreria" che Ornella sentì qualcosa accendersi nel cuore e finalmente capì che ce l'avrebbe fatta.

«La libreria è la mia casa e la mia trappola, perché la amo troppo e la considero mia. Invece non è mia. Io ci lavoro, la gestisco, ma non la possiedo. Però ho la sensazione che senza di me non possa andare da nessuna parte.»

«Per questo vuoi tornare subito a Londra?»

«Sì. E poi ho delle persone che mi aspettano.»

Pensava solo a Bernard, che di colpo le mancava, ma lo nascose in un plurale imbarazzato.

«Spero che non passino altri vent'anni prima che tu ritorni a Verona.»

«Non credo, dài.»

«Ma se anche dovesse capitare, se tu mi dovessi citofonare, io ti aprirò.»

Ornella assaggiò la mousse e si rese conto che Piero si meritava una persona migliore di lei.

38

Clara si svegliò con una strana allegria. Chiamò il suo gatto immaginario invitandolo a salire sul letto e a lasciarsi accarezzare un po'. La sera prima si era addormentata vedendo il film *Mamma mia!* che Diego le aveva portato in un'edizione pirata. Si era sentita giovane a inserire quel dvd taroccato nel lettore – pensava fosse radioattivo – e vedere Meryl Streep innamorata l'aveva fatta piangere più di una volta.

Ci mise un po' a preparare il porridge perché cominciò a cantare *Dancing Queen* ad alta voce. Aveva visto quel musical solo una volta, al Prince Edward Theatre, e forse sarebbe stato il caso di rivederlo.

Di Ornella non aveva più notizie da qualche giorno, ma iniziava a prenderci gusto a essere un po' la regina della libreria. Anche i clienti italiani si rivolgevano a lei, e finalmente si sentiva libera di consigliare romanzi che a Ornella piacevano meno. Poi Diego aveva cominciato a imitare alcuni suoi gesti, come uno zelig. E di sua iniziativa aveva deciso di stampare delle card della libreria dove apporre un timbro a ogni acquisto. Le aveva chiamate "Russell Card", con l'immagine del pesce rosso tanto amato da tutti. Se completate, davano diritto a uno sconto o a un regalo a sorpresa. Ebbero un successo istantaneo.

Uscendo di casa, Clara cantò *Money Money Money* e guardò

il cielo azzurro spazzato dal vento, che riportava il calendario indietro di qualche mese. Si rese conto di essere in ritardo perché Julie aveva già messo fuori tutte le piante. In fondo a Flask Walk, davanti al negozio di barbiere, vide Diego che con gesti strani le faceva cenno di accelerare il passo. L'effetto su di lei, ovviamente, fu opposto: nessuno poteva permettersi di dirle di correre, tanto più se è uno che non sa pronunciare nemmeno il "*th*"! In realtà, quando si avvicinò e mise a fuoco i suoi occhi non più veloci, vide che davanti alla libreria ancora chiusa c'erano Mr Spacey e un signore dall'aria greca o turca, sicuramente non inglese. Erano le 9.12, un ritardo per lei inaccettabile. Salutò Mr Spacey millantando che il gatto era stato aggredito dal cane del vicino, ma lui le rispose solo bussandole le dita sull'orologio. Clara ci rimase così male che Diego tornò dentro il suo negozio per non metterla in ulteriore imbarazzo.

Appena entrati, Clara si diede subito da fare per mostrare a Mr Spacey la vetrina "multicromatica" e i cambiamenti della disposizione. Ma lui le rispose che in quel momento voleva solo far vedere il locale a quel signore, specificando che erano lì dalle nove. Non l'ascoltava, anzi si muoveva con modi che a lei piacquero poco.

Soprattutto era inquietata da quel losco figuro che guardava tutto con gli occhi della fantasia. Come quando vai a vedere una casa da ristrutturare e te la immagini con i muri giù. Nel momento in cui lei sentì che parlavano di cucine e di collegamenti idraulici, capì che doveva fare qualcosa, così si ostinò a mostrare comunque al boss gli incrementi delle vendite.

«Le ripeto che non sono venuto qui per vedere i conti, ma per mostrare il locale a questo signore che potrebbe essere interessato.»

«Interessato a cosa?»

«A comprarlo. Poi deciderà lui cosa farne.»

«Ma questa è una libreria.»

«E io sono un imprenditore. A proposito, dov'è Ornella? Dov'è il giovane libraio che doveva cambiare le nostre sorti?»

Clara vide Diego che, dall'altra parte, con gli occhi persi nel vuoto, stava facendo la barba a un cliente e pensò non fosse il caso di indicarlo proprio in quel momento.

«Il ragazzo sta consegnando libri a delle vecchiette che non riescono a passare di qui, e Ornella sta chiudendo un nuovo business con le scuole.»

«Che business?»

«Noi preferiamo che a parlare siano i numeri.»

Mr Spacey la osservò piuttosto sorpreso, mentre il turco continuava a guardare i locali spostando le pile di libri.

«Comunque ci vuole un bel coraggio ad aprire un bar in Flask Walk.»

Il turco di colpo sembrò svegliarsi e chiese a Clara di spiegarsi meglio.

«Questa è una zona storica di Londra. Gli inglesi che abitano qui vanno negli stessi caffè da anni. Il massimo della trasgressione per loro è Carluccio. Ci vorrebbero almeno sei mesi prima di abituarli al fatto che non c'è più la libreria.»

«Tu, Clara, forse è bene che ti concentri sui conti, che dici?»

«Certo, Mr Spacey.»

Clara fece un po' l'oca svampita, ma le veniva una gran voglia di piangere. Appena i due la lasciarono sola, si chiuse muta nel retro. Si sentiva presa in giro e sola.

Chiamò Ornella in cerca di conforto e, soprattutto, di notizie. Ma lei in quel momento non le voleva rispondere. Stava attraversando il ponte di Castelvecchio per andare a casa dei suoi genitori.

39

Quando Ornella era ragazza, il ponte di Castelvecchio le aveva sempre dato l'idea di una prigione, mentre ora le ricordava più un castello. E la vista di San Zeno, in lontananza, le trasmetteva calma. Attraversò il cortile dell'Arsenale e si ritrovò nel quartiere dove era cresciuta e da cui era voluta fuggire.

Via Todeschini sembrava sempre la stessa, di diverso c'era solo un camioncino che vendeva polli allo spiedo, e su un cartello c'era scritto :"Oggi polenta e fagioli a tre euro". Anche il suo palazzo verde non era cambiato, sembrava solo più piccolo e meno importante. Ornella suonò il citofono senza timore di incontrare i vicini e salì le scale di corsa.

Sua madre fu presa così alla sprovvista che l'accolse in un silenzio irreale, quello che accompagna i regali davvero inattesi.

«Ornella... sei qui. Non ci credo che alla fine sei venuta... Fatti vedere... Sei un po' sciupata, però.»

«Sono solo stanca. Dimmi che c'è anche papà.»

«È appena andato a fare la spesa, oggi i punti del supermercato valgono il doppio.»

Ornella capì da chi aveva ereditato quella mania.

«Quando i punti valgono il doppio non si possono lasciare scappare. Ma torna?»

«Certo, tra poco sarà qui. Non capirà più niente dall'emozione, preparati... Proprio qualche giorno fa mi parlava di te, vorrebbe ritinteggiare la tua camera come una volta. Color albicocca.»

Ornella deglutì e si chiese perché aveva aspettato tanto a tornare. Sua madre la fece sedere in cucina e cercò di prepararle un caffè con la crema a base di zucchero, come faceva ogni domenica.

Lei si guardava intorno e le sembrava di essere di nuovo ragazzina. I suoi avevano cambiato i mobili, ma la sensazione era che fosse tutto come l'aveva lasciato.

Appese al muro, dietro di lei, una serie di foto incorniciate. Nella più grande, c'era sua sorella Cristina all'isola d'Elba, poco prima che si trasferisse in Germania.

Per Ornella, era la ragazza più bella del mondo e le sarebbe piaciuto assomigliarle almeno un po'. La vedeva ogni anno, quando andava a trovarla a Londra, e Ornella la ospitava offrendole i biscotti di Fortnum & Mason. Erano così cari che li comprava solo in quell'occasione.

«Come sta lei a Düsseldorf?»

«Bene... anche se avere una suocera tedesca non deve essere facile, poveraccia. Diciamo che le mie figlie non hanno mai scelto una strada semplice. Ma ora lei mi pare ben inserita. Tua sorella se l'è sempre saputa cavare, malgrado tutto.»

«Malgrado me.»

«Ornella, devi piantarla di pensare che io faccia sempre i paragoni. Ormai quella storia è chiusa. L'abbiamo dimenticata e per me non esiste più, basta. Lo capisci "basta"?»

«Se lo dici così, sì.»

Sua madre sorrise, finalmente. Versò il caffè e aggiunse la cremina, mettendola quasi tutta nella tazzina di Ornella.

«È per Axel che sei venuta?»

«Be'... sì... Ma volevo vedere anche voi.»

«Non è vero. E allora perché non ti sei mai fatta vedere, anche se ti abbiamo invitato tante volte?»

«Perché sapevo che un po' ti vergognavi di me davanti agli altri. Il tuo cuore mi chiamava, ma la tua testa sperava sempre che io non venissi... È per questo che hai appeso la foto di tutti, tranne che la mia.»

La madre prese Ornella per mano e la condusse in camera sua. Sul comodino, un solo ritratto: lei da ragazza, sorridente, sullo sfondo del lago di Garda.

«Lo vedi dove sei tu? Qui. Dove mi sveglio e dove mi addormento. Mi piaci perché sei ancora piccola e penso che tu possa darmi retta... e quando sono triste la guardo, e il tuo sorriso mi tira su.»

La madre si accomodò sul letto invitandola a sedersi accanto a sé. Si erano appena sistemate quando sentirono girare la chiave nella toppa. Suo padre era lì, nell'ingresso, carico di borse della spesa.

Appena vide Ornella, le lasciò cadere per terra e iniziò a ridere come un bambino. Erano anni che non si sentiva così contento.

«Ma guarda questa ragazza che arriva senza preavviso... è così che ci si comporta? Che a saperlo ti compravo i funghi!»

Il tono di suo padre era piuttosto alto, più per l'emozione che per problemi di udito. Andò in cucina a svuotare i sacchetti e le lasciò sole in camera.

«Hai visto com'è felice? Tu non ci credi, ma mi hai fatto il regalo più bello della mia vita a venire così, all'improvviso. Lo desideravo tanto, sai?»

«...»

«Una volta dobbiamo fare un Natale tutti insieme qui da noi, anche con tua sorella. Me lo prometti?»

«Te lo prometto.»

«Speriamo solo che non si porti dietro la suocera tedesca che non la sopporto!»

«Ma mamma!!! Un po' di tolleranza...»

Continuarono a chiacchierare, mentre suo padre trafficava in cucina. Ornella aveva il cuore in subbuglio, ma cercava di essere zen.

«Mi spieghi perché ce l'avevi tanto con Verona?»

«Pensavo di mancarvi di rispetto tornando qui. Io mi vergogno ancora per quello che vi ho fatto passare. Non riuscirò mai a farmene una ragione.»

«Ci ho pensato tanto, in questi anni... a dove abbiamo sbagliato io e tuo padre... a cosa non abbiamo sbagliato con tua sorella, e alla fine sai cosa ho capito? Che bisogna piantarla di farsi certe domande perché le risposte non ci sono. Dobbiamo solo prendere i fatti e cercare le cose buone dentro ai fatti, così come dentro alle persone... e imparare a dimenticare.»

«Io non ce la faccio.»

«Tu devi dimenticare, Ornella, sei ancora giovane. E sei più bella oggi di ieri, perché hai vissuto, sei caduta, e ti sei rialzata da sola. E da ieri quel disgraziato di tuo marito non c'è più.»

«Da chi l'hai saputo?»

«Ho i miei informatori. Ma la cosa che più mi rende felice è vederti di nuovo nella nostra casa. Sei tornata, finalmente sei tornata...»

«Sì, ma riparto nel pomeriggio.»

«A me basta questo.»

Suo padre entrò tutto orgoglioso in camera con un vassoio e due tazze di tè.

«Ormai tu sei un'inglese a tutti gli effetti...»

«Grazie papà... avevo proprio voglia di una tazza di tè!»

Ornella non se la sentì di dire la verità.

Bevvero il tè in salotto perché sul letto erano un po' scomodi. Sua madre tirò fuori una vecchia Canon e si fecero le foto sul divano a due a due. Per un attimo, Ornella si sentì una star.

Salutò suo padre – che voleva farsi un pisolino – con la promessa di tornare presto, e restò ancora un po' con sua madre. Più che parlare, stettero una accanto all'altra, perché di quello avevano bisogno.

Prima di andare via, Ornella le appoggiò una mano sulla spalla e la strinse a sé. Quasi non la riconobbe al tatto. Era diventata più piccola e ossuta, come se il tempo l'avesse ristretta. Ma per nulla al mondo avrebbe voluto una madre diversa da com'era, e da com'era stata.

40

Per la prima volta da quando lavorava nel negozio di fiori, Julie aveva esposto il cartello "Torno subito". Diego l'aveva portata a pranzo fuori, si erano presi un sandwich al pollo, e prima di riaccompagnarla in negozio le aveva comprato un gelato. Lei aveva avuto la sensazione che lui ci stesse finalmente provando, o forse era solo una ragazza romantica. Così aveva chiuso a chiave la porta dall'interno per godersi quel cono con Diego in mezzo al verde.

Lui, intanto, mentre stava attento a non macchiarsi di cioccolata, si faceva spiegare le differenze tra una chenzia e un gelsomino, tra una pianta semigrassa e un acanto. In fondo sapeva che qualsiasi altra donna, in quella situazione, si sarebbe aspettata un bacio. Ma non gli veniva naturale.

«Scusami Julie.»

«Per cosa?»

«Per come sono fatto... sono un po' strano, me ne rendo conto... magari pensi che ti voglia prendere in giro... invece mi comporto così proprio perché non ti voglio prendere in giro.»

«Diego, ma come parli? Guarda questi fiori, loro sì che non hanno tempo da perdere, perché vivono solo pochi giorni. Pensa se finiscono in una casa di gente antipatica, o da qualcuno che si dimentica di metterli nell'acqua. Quella dei fiori è una vita difficile, ma la nostra no... abbiamo tante possibilità... non so se capisci cosa voglio dire.»

«Sei stata chiarissima, Julie.»

«Una sera però devi venire a cena da me, ti presento un po' di amici... vi faccio qualche piatto danese.»

«Basta che non ci sia l'aringa, che quella proprio mi fa senso.»

«Ok, niente aringa. Ora vai che fai tardi.»

«Azz, è vero.»

Diego le diede un abbraccio, più che un bacio, e sentì che lei aveva capito tutto. Quando aprì la porta, la trovò chiusa, e lei si vergognò come una ladra perché era evidente che aveva sperato ben altro.

Restarono ancora un po' a chiacchierare davanti alla vetrina, mentre una signora piena di pacchi si stava avvicinando. Squadrò Diego da capo a piedi prima di dirgli: «Ma lei ha intenzione di lavorare in tutti i negozi della via?», al che lui rispose con un sorriso e la posizione del guerriero partenopeo. Fece poi cenno a Julie che l'avrebbe chiamata e si avviò verso la libreria. Dopo un po' di passi, si sentì bussare alle spalle.

Lei l'aveva rincorso per regalargli un giacinto: «Ricordati che per renderlo felice gli basta un po' d'acqua e un po' di luce» gli disse e tornò alla signora e agli altri suoi fiori.

Quando Diego entrò all'Italian Bookshop, si sentì per una volta più sollevato.

Clara invece era piuttosto affranta, anche se cambiò espressione non appena lo vide. Pensò che il giacinto fosse per lei e gli disse: «Non dovevi», mentre lo prendeva, e lui non ebbe il coraggio di fermarla. La vita dei fiori a volte può essere davvero bizzarra.

Un nodo però chiudeva lo stomaco a Clara. L'arrivo di Mr Spacey con il cliente turco le aveva mostrato in un modo piuttosto brutale che fine avrebbe fatto la libreria, e a poco serviva il profumo di quel fiore che aveva già sistemato nel suo angolo. Per non pensarci, uscì a cercare il mangime per Russell & Crowe. Gli animali per Clara erano sempre una buona scusa per fare un giro.

Rimasto solo, Diego tornò a essere triste. Carmine non si era ancora fatto vivo e questo gli dava un po' d'inquietudine. Decise che per una volta doveva essere lui a fare il primo passo: in fondo Londra era la sua città, mentre l'altro era impegnato a fare il turista con gli amici. Così gli scrisse: "Allora, come vanno i giri? Ci si vede stasera?".

Sapeva che di solito Carmine rispondeva dopo poco, per cui restò imbambolato davanti al telefono. Quando si rese conto di quanto era paradossale la situazione, pensò che fosse meglio vivere alla giornata, come il giacinto che gli aveva regalato Julie e che era stato suo per pochi passi. Un messaggio in arrivo gli riaccese la speranza, perché in fondo sapeva che quello era il suo destino.

Invece era Nunzio: "Tutto ok ieri con il tuo amico? Fammi sapere se ci sei stasera così mi organizzo...".

La delusione venne presto sostituita da un attimo di euforia. I tre puntini di sospensione finali diedero a Diego la certezza che anche a Nunzio "gli piaceva 'o pesce", come si diceva dalle sue parti. Aspettò a rispondere perché voleva prendersi un attimo di tempo, soprattutto perché magari Carmine si trovava in metropolitana dove il telefono non prendeva bene. Nell'attesa, mostrò una certa intraprendenza nei confronti dei clienti che entrarono quel pomeriggio, e che non uscirono dalla libreria senza aver compiuto almeno un acquisto.

Intanto Clara tornò non solo con il mangime dei pesci, ma anche con delle bottiglie d'olio che aveva preso da Waitrose, e disse a Diego che, con l'olio in regalo a chi completava la Russell Card, gli inglesi sarebbero andati fuori di testa.

Per lui, fu una vittoria clamorosa. C'era però qualcosa che non lo convinceva, in Clara, quel giorno, ma non osò chiederglielo.

Per fortuna ricomparve a distrarli la signora Lovely, che cercava disperatamente il numero di Mr George. Dopo averlo visto in libreria lo aveva incontrato al parco, e le sarebbe piaciuto invitarlo per un tè, diceva. Clara lasciò che la richiesta cadesse nel vuoto: «Non si dà il numero dei clienti alla prima che passa... potrebbe essere una stalker. La privacy, la privacy!».

Diego l'aveva appena accompagnata alla porta quando squillò il telefono. Dall'altra parte, con una voce quasi irriconoscibile, c'era come sempre la Patti.

«Ornella è già arrivata? Sono la Patti.»

«Ci ha scritto per dirci che torna oggi, ma non si è ancora fatta viva. Hai provato a chiamarla sul cellulare?»

«Non mi risponde. Non so perché certa gente continui ad averlo.»

«Posso lasciare un messaggio?»

La Patti scoppiò a piangere in un modo così teatrale che Diego si convinse che doveva avere smarrito il bagaglio da qualche parte.

«No, Patti, se però ti metti a piangere al telefono penso subito che sia morto qualcuno...»

«Infatti è morto qualcuno.»

«Oh mi dispiace. Ti faccio le condoglianze.»

«Grazie caro... la zia Lucrezia era una cara persona.»

Diego sgranò gli occhi.

«È morta la famosa zia milionaria?»

«Sì, purtroppo ci ha lasciato proprio ieri.»

«Sarai distrutta.»

«Sì, terribile. E come se non bastasse, ora mi affligge anche il male all'alluce. Guidare la Seicento con i tacchi può fare danni irreversibili...»

«Be' certo, non dev'essere una buona giornata avere un lutto e il male all'alluce.»

«Sì, mi fa proprio male... Però ti chiederei una cosa... dillo tu a Ornella, quando la vedi... io ho un sacco di pratiche per il funerale, sai sono una degli eredi... Me lo fai questo favore?»

«Certo, come no. Appena la vedo.»

In realtà la Patti non aveva mai chiamato Ornella. Da vera vigliacca, voleva evitare la ramanzina della sua amica per come aveva trattato la cariatide negli ultimi anni.

41

Rivedere Londra per Ornella fu come entrare in una vasca di acqua calda piena di bolle e di schiuma.

Aveva promesso a sua madre che sarebbe tornata a trovarla, perché una madre italiana non ti può offrire solo il caffè, ti deve dire "questo baccalà l'ho fatto per te", anche se Ornella preferiva altro.

Prima di partire, la mamma le aveva dato un po' di soldi, come si fa con i nipoti, e lei li aveva accettati senza remore perché non voleva discutere.

Aveva chiamato Samir per farsi venire a prendere in aeroporto, per evitare di mettersi in fila, salire sul bus e dover stare seduta di fianco a qualcuno.

L'autista indiano l'accolse con un sorriso che le sembrò di buon auspicio, e durante il viaggio non fece altro che rivolgerle domande sulla Patti, che lui chiamava Mrs Patti, e che sperava di rivedere.

«Ma è una donna sposata» gli rispondeva lei con quel tono di rimprovero che non riusciva a controllare – *she's married!* – e lui la tranquillizzava dicendo che era solo una grande amica, anzi una "*big friend*", come le ripeté con quell'accento che a Clara avrebbe fatto venire i capelli dritti.

Quando vide il suo cipresso, Ornella tirò un sospiro di sollievo. Anche il nano era lì, e la polizia non la stava aspettando. Erano quasi le dieci di sera. Samir le ribadì che lui era un ragazzo serio che non andava con le donne sposate, e lei si rese conto che da quel momento sarebbe risultata "vedova".

Restò un po' davanti alla sua casa, prima di entrare, in compagnia del nanetto. Dalle finestre di Bernard provenivano i bagliori intermittenti del televisore. Chissà cos'era successo a *EastEnders* in quei giorni, magari avevano scoperto chi aveva ucciso Lucy. Si mise a tossire forte, sperando che lui comparisse con un bicchiere di cherry, ma non avrebbe mai avuto il coraggio di andare a bussargli.

Per sentirsi meno sola, controllò addirittura se c'erano le ragazze vestite da majorette in fondo alla strada.

Alla fine entrò, trovando la cucina nel solito disordine, e si catapultò verso il frigo. Dentro c'era solo pasta d'acciughe. In una dispensa trovò l'Ansiolin e una lattina di birra calda, e scelse la seconda.

Era una sera di maggio piena di stelle, e decise di sedersi sui gradini di casa.

Beveva e guardava il cielo, sperando che Axel si fosse ambientato subito in un posto tanto silenzioso, lui che amava suonare e fare baccano. Ma forse non l'avevano mandato subito in paradiso, uno così, anche se lei sicuramente lo avrebbe segnalato. Pure da morto, lo trattava come un bambino.

Ornella era appoggiata al muretto e cercava di cacciare indietro i ricordi quando Bernard la scorse dalla finestra. Era l'ennesima volta, quel giorno, che si affacciava per controllare se era arrivata, e ora che finalmente la vedeva si ritirò. Improvvisamente ebbe paura che quell'alchimia in realtà fosse solo nella sua testa.

Bernard non riuscì più a seguire *EastEnders* e si fece una doccia. Decise poi di eliminare tutto ciò che di superfluo aveva in bagno, in particolare i campioncini di shampoo che era solito prendere negli alberghi. Mentre li metteva via, si rese conto che era solo nervoso. Aveva fatto ricorso a tutto il suo coraggio per chiamare Ornella un paio di giorni prima, e lei era stata vagamente assente. Questo non lo aveva certo reso ottimista.

Aveva deciso di non pensarci, ma innamorarsi significa pensare solo a quello. Tornò a sbirciare tra le tende e vide che lei era di nuovo rientrata in casa. Forse lo aveva visto dietro i vetri e aveva preferito evitarlo.

In realtà, Ornella era solo tornata in cucina per riempirsi un altro bicchiere di birra calda, che non riusciva proprio a farsi piacere.

Non aveva ancora avuto il coraggio di riguardare il disegno che le aveva lasciato Axel, ma sicuramente sarebbe arrivato il giorno per riaprire quella busta. Ce l'aveva ancora in mente quando il cigolio del suo cancelletto la riportò alla realtà. Bernard era comparso con un pacchetto.

«C'è posta per te.»

Ornella fu colta da un istintivo desiderio di abbracciarlo, che però trattenne. E lui, ovviamente, non si lanciò. Le consegnò con un po' di impaccio la scatola, che lei guardò con aria interrogativa. Purtroppo non era una nuova Golden Card, pensò. La aprì e dentro trovò una bottiglia di Chardonnay, un pezzo di cheddar e dei cracker salati in superficie. Guardò di nuovo, capì e rise.

«Il mio kit di sopravvivenza! Bernard, tu sì che sei avanti. Ti sono mancata come vicina?»

«Mi sei mancata e basta.»

Ornella aveva paura, ma qualcosa le diceva di continuare a parlare senza porsi troppe domande. Lo invitò a sedersi di fianco a lei ed entrò in soggiorno a prendere un apribottiglie e un altro bicchiere. Era un calice un po' diverso dal suo, ma lei aveva solo bicchieri spaiati che aveva comprato a Portobello.

«Immagino che il tuo viaggio in Italia non sia stato proprio una vacanza.»

«Da cosa si capisce?»

«Dal modo in cui stai seduta sulle scale.»

«Cioè?»

«Quando ti metti così, un po' rannicchiata, con la testa in avanti, vuol dire che hai qualche pensiero.»

«Ma tu come fai a dirlo se non mi conosci?»

«Lavoro osservando le persone, e nel tuo caso mi è inevitabile abitando tu di fianco a casa mia.»

«Cos'altro hai capito di me?»

«Che anche tu sei sola e hai smesso di credere al destino.»

«Questo non è vero.»

«Invece sì. Tu ci credi al destino?»

Ornella sentì un brivido che non aveva mai conosciuto.

«Prima dimmi cos'è il destino.»

«Il destino è quella porta socchiusa da cui ogni tanto puoi sbirciare. E allora capisci che nulla avviene per caso e che tutto ha un senso, anche quando sembra non averlo.»

«Be', allora ci credo ancora... anche se a volte preferirei che la porta si aprisse del tutto. Magari le cose andrebbero diversamente.»

«Questa, purtroppo, è la vita. E ai sogni ci credi?»

«Mamma, che domande difficili... sono appena rientrata dall'Italia!»

«Scusami.»

«Sì, comunque ci credo... ma non li dico mai, perché ho paura che non si avverino.»

«Allora sono messo peggio io, che non ho il coraggio di raccontarli nemmeno a me.»

«*Come on*, Bernard. Allora comincia subito. Dimmi una cosa che ti piacerebbe fare.»

«Se lo dico a te, poi non succede.»

«Ma va'. Tu puoi dirlo, anzi devi dirlo!»

«È una cosa che ti ho già detto ma che fai sempre finta di non sentire: vorrei tornare a cena fuori con te.»

Ornella sorrise, e diede un'altra sorsata al suo vino.
«Ti stavo giusto per chiamare...»
«Faccio finta di crederci. Allora confermami che domani sei libera.»
«Ti dico solo una parola: sì.»
Bernard sarebbe voluto rientrare a casa e gridare di gioia, ma preferì stare lì a fingere di essere tranquillo. Sapeva che Ornella era una piccola bestia ferita, e qualsiasi movimento troppo brusco l'avrebbe fatta scappare. Per cui evitò di tornare sul discorso, anzi andò a sedersi sul panchetto di fianco al nano rubato.
Lei era rilassata e gli si avvicinò, convinta com'era che lui non avrebbe mai tentato di baciarla quella sera: la situazione ideale per ricevere un bacio indimenticabile.
Dopo poco Bernard posò all'improvviso le labbra sulle sue. «Buonanotte» le disse, tenendole ferma la faccia con le mani.
Lei era così stanca che chiuse gli occhi e tornò ad avere diciassette anni.
Nessuno dei due sapeva come proseguire e cosa dire, per cui continuarono a baciarsi.

42

La Shoreditch House era uno dei pochi club londinesi dove si poteva entrare senza cravatta, anche se non era quella la ragione per cui Nunzio ci si era iscritto. Appena aveva saputo che Madonna ci aveva fatto una festa di compleanno, si era subito fatto introdurre da uno dei soci, aveva pagato una megaquota, e ogni tanto ci portava Anastasia per un cocktail. Uno dei baristi era calabrese e gli faceva tutte le modifiche fuori menu.

Diego era piuttosto impressionato dal contrasto tra l'anonima facciata del club – non c'era una targa, né un citofono – e l'eleganza modaiola che si respirava a ogni piano.

Era un posto apparentemente più informale del locale della sera prima e Nunzio propose di spiluccare qualche tapa.

«Vedi, Diego, il mio problema è che mi annoio, quindi mi piace scoprire posti nuovi e un po' alternativi.»

«Sì, ma qui uno stuzzichino ti costa una tombola!»

«Ti sbagli. E poi ti prego: già parlo tutto il giorno di soldi, e alla sera mi piace solo spenderli. Ma non pensare che io sia arrogante, sono solo realista.»

«Figurati. Se c'è una cosa che non provo è l'invidia per chi sta meglio di me.»

Nunzio fece un cenno al barista e dopo poco arrivarono due cocktail Martini come piacevano a lui. Diego beveva soprattutto alla faccia di Carmine, che non solo non gli aveva risposto al messaggio, ma neppure al telefono.

Al secondo giro non ci pensava già più, anche perché l'altro lo faceva sentire importante, con tutte quelle attenzioni. Gli disse che Anastasia, oltre a raccogliere le adesioni per un volo diretto Copenaghen-Lamezia Terme, quella sera aveva un corso di pasticceria insieme a Julie, e magari una volta gli avrebbero fatto assaggiare qualche bignè. Fu l'unico momento in cui Anastasia venne menzionata. Per il resto, si divertirono con poco, come quando due persone finalmente si trovano, e si crea un'alchimia di cui si è quasi inconsapevoli. Dopo il terzo cocktail, durante il quale si raccontarono le loro vacanze più disastrose, chiesero il conto e si avviarono.

Mentre tornavano verso casa, Diego decise di osare.

«Vuoi bere qualcosa nella mia modesta casetta?»

«Cos'hai di buono?»

«Tengo solo birra.»

«Un limoncello no?»

«Marò, dici a me, ma poi anche tu con questi luoghi comuni...»

Salirono ridacchiando, mentre Diego si rendeva sempre più conto che la sua non era proprio una casa in stile Chelsea. Ci mancava solo la cucina invasa dai greci, invece quella sera regnava il silenzio più totale e un disordine triste.

Diego si vergognava un po', ma Nunzio sentiva che non allontanarsi dalla realtà fosse il modo migliore per godersi le cose. Dopo un primo momento di impaccio, Diego gli mostrò dove dormiva il povero ragioniere. Quando chiuse la porta, non aggiunse altro. Posò il telefono sulla scrivania e, aiutato dall'alcol, si lanciò in un abbraccio che sembrava più un rito tribale che un approccio amoroso, ma Nunzio lo respinse malamente.

«Ma che fai?»

«Io... niente... pensavo che ti facesse piacere... così... per divertirci.»

«A me piace divertirmi solo con Anastasia, forse non ti era chiaro.»

«Certo, anche a me piacciono le ragazze... però così... qualche volta...»

Diego voleva morire all'istante in modo rapido e indolore.

«Sì, qualche volta... Non è il mio caso, mi spiace. Se vuoi che diventiamo amici, va bene. Ma amici e basta.»

«Scusa, Nunzio. Scusa.»

Diego gli chiese poi se potesse abbassare la voce, perché aveva il terrore che il suo coinquilino stesse per rientrare a casa da un momento all'altro.

Moriva dall'imbarazzo e dalla delusione, mentre Nunzio si rese conto di essere stato frainteso. Lui, in realtà, aveva solo il piacere di fare nuove conoscenze e di frequentare qualcuno che fosse fuori dai suoi giri. Riprese in fretta le sue cose e scese in strada per trovare un taxi e togliersi dall'atmosfera che si era creata.

Appena rimase solo nella sua stanzetta, Diego pensò che quella era l'ultima volta che lo avrebbe visto.

Ci mise un po' a addormentarsi, anche perché non sapeva più a cosa pensare. Ora sì che aveva toccato il fondo. Stava per chiudere gli occhi quando un *bip* dal suo telefonino gli accese la speranza. Nuovo messaggio.

Lo aprì con un po' di batticuore, ma restò presto deluso: "Sono tornata. Ci vediamo domani in libreria. Ornella".

Trovò la forza di rispondere: "Che bello!!!" con tre punti esclamativi, come le lacrime che gli erano scese.

43

La felicità ti prende sempre quando sei di corsa.

Appena alzata, Ornella si sentì euforica, dopo quel bacio da cui era scappata bofonchiando un "ci vediamo domani" e barricandosi in casa. Tornare a baciare qualcuno poche ore dopo che tuo marito è morto è una sensazione piuttosto straniante.

Era una giornata di sole con una luce tale che Mr George non poteva non essere al parco: infatti, si trovava lì a godersi Hampstead Heath, che a quell'ora aveva qualcosa di speciale.

«Mr George! Mr George! Sono tornata!»

«Evviva Ornella! Che Dio la benedica... mi è mancata.»

«Anche lei.»

«Tornata dalla battaglia?»

«Sì, e non ho vinto.»

«Quando si torna si vince sempre. Da come mi ha salutato devono essere successe un po' di cose.»

Ornella indicò una panchina dove non si erano mai seduti e chiese a Mr George di seguirla. Non aveva molto tempo, ma sarebbe esplosa se non gli avesse parlato. Così gli raccontò della fine di Axel e dell'inizio con Bernard, anche se fu molto veloce a proposito del bacio. Lui stette qualche minuto a riflettere, prima di rispondere.

«Ha visto che ha fatto bene ad andare? Se non lo avesse rivisto avrebbe passato la vita a rimpiangere quel momento. Voi cattolici siete tutti uguali: vivete di sensi di colpa. Scommetto che si sarà sentita in colpa a baciare il suo vicino ieri sera... mentre si dovrebbe sentire in colpa solo per non averlo baciato prima! Lo conosceva da vent'anni!»

«Sì ma non è detto che succederà ancora qualcosa.»

«Posso farle un'osservazione, io che ho la mia bella età, Ornella?»

«Mi dica.»

«Si rilassi. Deve rilassarsi. È una sopravvissuta, ma non per questo non si deve godere le cose. Quindi tiri fuori il sorriso e combatta per tutto ciò in cui crede: la libreria e l'amore. Chi può essere più felice di lei, ora?»

Ornella si sentì per una volta dentro una corazza. La libreria si sarebbe salvata e lei, un po' più in là negli anni, avrebbe sposato Bernard, come Tina Turner. La Patti sarebbe venuta a vivere a Londra e sarebbero invecchiate insieme bevendo tisane al Claridge's e bollicine al Baglioni. Avrebbero continuato a sognare leggendo e si sarebbero emozionate davanti a vecchi film.

Una folata di vento la riportò alla realtà.

«C'è qualche posto di Londra dove non è ancora stato?»

«Oh, tantissimi. Questa è una città che conoscono solo i turisti. Gli abitanti scelgono i propri quartieri, i teatri, i pub e frequentano solo quelli. Ma prima o poi dovrò tornare a Parliament Hill.»

«A vedere gli aquiloni?»

«Gli aquiloni e i grattacieli. Mi hanno detto che adesso si vedono solo i grattacieli... un tempo era una distesa verde.»

«Mr George, io ho sempre e solo visto grattacieli da lì.»

«Lo vede che è una ragazzina?»

«Ma ho cinquantacinque anni!»

«Per me sarà sempre una ragazza.»

Ornella gli augurò buona giornata e corse via, come al solito stava facendo tardi.

Quando entrò in libreria, le sembrò di trovarsi in un posto che non le apparteneva più, come se fosse diventato più bello senza di lei. Anche Russell & Crowe nuotavano con un'altra disinvoltura, Russell in particolare. C'era molto più ordine, i libri erano disposti in modo accattivante, ed era stato istituito un corner dedicato con "I consigli di Clara" in cui erano esposti i romanzi destinati agli inglesi.

Era stato Diego a convincerla, e lei lo aveva assecondato per fare un po' dispetto a Ornella, che da quando era tornata in Italia sembrava essersi dimenticata di loro. Ma il colpo di grazia le venne assestato dalla Russell Card. Come aveva fatto a non pensarci lei, che raccoglieva punti in ogni tipo di negozio?

Quando Clara la vide, le sorrise per dirle "bentornata". Con quell'assenza forzata, aveva capito quanto Ornella fosse importante per lei. E il suo ergersi sulle barricate di un'Inghilterra che non c'era più era solo una richiesta di attenzione.

Ornella si guardava intorno come se fosse stata via per mesi, e invece si era allontanata solo per pochi giorni. Si stupiva soprattutto di come fossero calate certe pile di libri: era sempre un ottimo segnale.

«Quindi siete riusciti a sopravvivere senza di me?»

«A fatica, ma ce l'abbiamo fatta. E Diego è stato bravissimo.»

«Sono contenta.»

«È riuscito anche a rifilare a un cliente l'olio del tarallo con l'autore.»

Era la terza volta che Clara pronunciava la parola "tarallo".

«Ma che bello! Quindi siamo riusciti a mantenere la media di incassi?»

«No, l'abbiamo migliorata!»

Ornella stava per mettersi a saltare.

«Ma è fantastico! Se andiamo avanti così, è fatta.»

«Temo di no, sai? Ieri si è presentato Mr Spacey con un tizio che ha squadrato la libreria da cima a fondo cercando di individuare le tubature, gli attacchi, parlando di cucina... temo la voglia comprare per farci un ristorante.»

«Non è possibile.»

«Purtroppo è così, anche se lui ha parlato poco. Ma è stato abbastanza sgradevole...»

Di colpo l'entusiasmo di Ornella si trasformò in angoscia, e a poco servì chiedere a Clara di ripetere esattamente ciò che aveva visto e sentito. Anzi, a ogni racconto si aggiungevano brutti segnali premonitori.

«Quindi secondo te ci aveva dato un ultimatum, ma aveva già deciso di venderla?»

«Non lo so, ma la sensazione è questa. Però vorrei dirti una cosa, Ornella: noi dobbiamo lottare fino alla fine e magari... magari la possiamo rilevare noi questa libreria, tu te la sentiresti?»

«Io sì, ma temo di non avere il becco di un quattrino.»

«In effetti anche io sono messa male. Dovrei vendere la casa di mio marito, ma poi dove vado?»

Passarono la mattina ad affrontare questa emergenza senza schermaglie, con un dialogo che non avevano mai avuto. Anche il momento della pausa tè venne vissuto con tranquillità, e anzi Ornella riuscì a bere un Earl Grey senza fare troppe smorfie. Si sentiva pronta a combattere come non aveva mai fatto, e sentire Clara parlare bene di Diego le dava un gran sollievo. Lei che ci aveva scommesso si ritrovava a portare a casa una piccola vittoria.

Quando lo vide fuori dal barbiere a fare una pausa, uscì a salutarlo. Lui aveva deciso di ricominciare da zero, o almeno si sforzava. Si abbracciarono con un affetto che non avevano ancora conosciuto.

«Mannaggia Orne', ti devo dare una notizia non proprio piacevole.»

«So già tutto. Ma ce la faremo.»

«Povera zia... ormai mi sembrava di conoscerla.»

«Quale zia?»

Diego realizzò che non si erano capiti.

«La Patti ha chiamato ieri in libreria dicendo di avvisarti... la vecchia zia è morta.»

«Oddio, ecco perché non mi rispondeva al telefono...»

«Magari stava decidendo come vestirsi al funerale.»

Ornella lo fulminò, ma mentre lo faceva le scappò da ridere e si vergognò profondamente. Ebbe però la prova che lei e la Patti erano così legate che anche i loro nodi esistenziali si erano sciolti a poche ore di distanza.

In quel momento la sua amica era veramente disperata nella sua casa di Milano, e piangeva davanti al marito attonito, che non si spiegava tutto quel dolore nei confronti di una donna che lei aveva sempre disprezzato.

In realtà, oltre che per l'alluce, la Patti piangeva perché rivedere il suo giardiniere e decidere di non parlarne con nessuno era stato ancora più doloroso.

Ornella la chiamò appena rientrata in libreria, e la Patti le concesse solo un pezzetto di verità, quella più colorata e meno sincera.

«Mi sento un mostro, Ornella... perché lei sembrava cattiva ma in fondo non lo era.»

«Ricordati di quando le hai chiesto un prestito per il dentista e lei ha voluto pure gli interessi.»

«Però aveva scoperto che mi servivano per un cappotto.»

«Oh povera donna, le avevi mentito!»

Davanti all'incredulità di Ornella, la Patti riprese a giustificarsi. Per fortuna trovarono un giusto equilibrio tra senso di colpa e buon senso, che portò il dialogo a toni più pacati.

Per tutto il pomeriggio Ornella cercò di preoccuparsi solo dei libri, che le erano mancati. Li sistemò, li accarezzò, li sfogliò, li consigliò, li impacchettò, li regalò addirittura, pur di farli sentire ancora vivi. Fu una sorta di magia che esercitò con la convinzione che solo i libri avrebbero potuto aiutarla a salvare l'Italian Bookshop.

I libri e, naturalmente, la nuova Russell Card.

44

Per una settimana ognuno sembrò prepararsi a uno scontro, a volte su più fronti.

Ornella pensò alla libreria per non pensare a Bernard.

Clara pensò al suo gatto immaginario per non pensare alla libreria.

Julie pensò ai fiori per non pensare a Diego.

Diego pensò a se stesso per non pensare né a Carmine, né alla figuraccia con Nunzio.

Patti pensò alla trilogia degli angeli per non pensare alla zia, al giardiniere e all'alluce.

Ognuno aveva qualcosa da rimuovere e un nemico da combattere, che era quasi sempre dentro di sé. Quello è il nemico peggiore, perché conosce alla perfezione i nostri punti deboli e se ne approfitta, facendoci commettere errori anche grossolani.

Ornella, in particolare, dopo quel bacio appassionato aveva preferito sparire, cambiando anche abitudini, uscendo sempre con il cappello, facendo giri strani intorno a casa per entrare quando Bernard non c'era. Una volta una majorette le chiese se voleva far parte della squadra, visto che ronzava sempre intorno alla villetta del signore insospettabile.

Bernard, dopo un paio di chiamate cadute nel vuoto, aveva deciso di non insistere più. Faceva fatica, ma sapeva che Ornella prima o poi sarebbe tornata, o almeno ci sperava, e cercava di concentrarsi sul lavoro, evitando di stare alla finestra. Di fatto, la controllava. Sbirciava con la coda dell'occhio il suo sacchetto della spazzatura, la posta, le finestre, le luci, la televisione. Saperla in casa senza poterla vedere gli sembrava una punizione che non meritava.

Dall'altro lato, Ornella doveva metabolizzare la scomparsa di Axel. Non voleva che Bernard fosse solo una reazione estemporanea per sentire meno dolore, per cui aveva preferito tenere quel pensiero per sé. In fondo sapeva che lui non era solo una distrazione, ma aveva paura ad ammetterlo.

Quando si incrociarono, dopo cinque giorni di silenzio, si salutarono facendo finta di nulla, come amanti clandestini. Si dissero ciao senza aggiungere altro, sapendo che prima o poi sarebbero dovuti tornare sull'argomento. Fosse stato per Ornella, lo avrebbe evitato per sempre, ma il suo futuro non dipendeva più solo da lei.

Diego, intanto, era tornato a salutare Julie senza imbarazzo, e ogni tanto le portava un croissant durante le pause sigaretta. Era un po' più teso quando c'era anche sua sorella Anastasia, che per fortuna ormai pensava solo alla tratta Copenaghen-Lamezia Terme.

Dopo essere scomparso anche dai radar dei social network, un pomeriggio Carmine riapparve al telefono, mentre lui era per strada.

«Allora sei ancora vivo.»

«Die', buongiorno... so' Carmine.»

«Lo so, ti ho riconosciuto.»

«Stai incazzato?»

«E perché dovrei? Mi hai detto "ci vediamo domani" e po' si' scumparso. Una risposta ai messaggi manco p'a capa. E nonostante ciò non sono manco incazzato, sono solo dispiaciuto.»

«Dài, mettiti nei miei panni: lei sempre con gli occhi addosso, mi stavo quasi facendo sgamare. Per te è più facile.»

«Ah, per me è più facile? Io mi faccio un culo tanto dalla mattina alla sera, cerco di organizzarmi per venirti incontro... ma hai ragione, il problema sono io, song' io ca song' nu strunz'.»

«Non ti avevo chiamato per rovinarti la giornata.»

«Tu non mi stai rovinando la giornata. Mi stai rovinando la vita...»

«Secondo me non stai bene, Diego.»

«Non sto bene solo perché sto parlando con te, quindi forse è meglio se metto giù.»

Non solo attaccò, ma spense il telefono, operazione che non compiva quasi mai. Di colpo si sentì leggero come la piuma di *Forrest Gump*, peccato che stesse intralciando la strada di tutte le persone che correvano per prendere la metropolitana e che lo guardavano con disprezzo.

45

Dopo dieci giorni di latitanza, Mr Spacey decise finalmente di incontrare Ornella nel suo ufficio a Soho. Lei la prese con calma e ci arrivò in autobus. Scese a Regent Street, perché pensava che tutti in quella via sembrassero più belli. Anziché le vetrine, guardava i tetti dei palazzi, che si sposavano felicemente l'un l'altro, in quell'armonia che raggiungeva l'apice nella celeberrima curva prima di Piccadilly Circus. Fece una capatina da Boots a comprare la sua crema per il viso e a ritirare un rossetto in omaggio, perché da quando aveva conosciuto Bernard aveva ripreso l'abitudine di idratare la pelle e curarsi di più. Prima di arrivare all'appuntamento con il capo, lo chiamò.

«Dove sei?»

«In centro, vicino a Piccadilly. Ho un appuntamento con Mr Spacey e tra poco saprò che fine farà la libreria.»

«Ma non avevi due mesi di tempo?»

«Sì, ma forse è stato già deciso...»

«Non è mai detto. Se vuoi ti raggiungo, tanto stavo uscendo. Mangiamo qualcosa insieme, che dici?»

«Non credo che avrò fame.»

«Allora mangerò solo io. Tra un'ora sarò in zona, quando hai finito mi chiami, ok?»

«Va bene.»

«Non dimenticarmi.»

Un'iniezione di ottimismo la prese mentre saliva le scale con ben sette minuti di anticipo, il giusto orario per chi vuole mostrarsi professionale, ma non ansioso. Ornella stava andando in trincea e sentiva di avere al fianco non solo Clara e Diego, ma anche Mr George e tutti i loro clienti. Diego le aveva preparato uno schema con i grafici relativi ai dati e le aveva spiegato quante Russell Card aveva già emesso, ma su quello lei aveva capito tutto senza problemi: sapeva però che le battaglie non si vincono solo con i numeri.

Per cui, appena vide Mr Spacey, non gli diede quasi il tempo di parlare.

«Lei che ha creato questa realtà a Hampstead non può, dopo tutti questi anni, vendersi a un ristorante turco. Perché chi investe nei libri investe anche nei sogni, e i sogni a volte hanno un prezzo. In questo momento forse è un po' alto... ma non possiamo abbandonare un sogno per un kebab. Quando sono arrivata a Londra non sapevo dove sbattere la testa ma avevo un grande amore, i romanzi: non ci siamo incontrati per caso, non crede? Ci siamo semplicemente trovati. Lei si è fidato della mia passione e guardi dove siamo arrivati... ma c'è voluto del tempo... e a volte ci siamo fermati per respirare, per capire, per ascoltare. E oggi non si tratta più di libri, ma di persone. Persone che hanno bisogno di noi, come noi abbiamo bisogno di loro. E i soldi che si investono nei sogni e nelle persone non sono mai sbagliati, soprattutto se uno se li può permettere. E lei, Mr Spacey, può ancora farlo! Non rovini ora tutto il bello che ha costruito... si fidi ancora di me. Di noi. Per il bene della libreria noi siamo disposti anche a ridiscutere i nostri compensi, ma non possiamo arrenderci ora. Anzi, non dobbiamo.»

Mr Spacey non aveva mai visto Ornella così. Non era più l'intellettuale spaurita che sapeva intrattenere le persone. Provò ad accennare qualche protesta, ma lei controbatté punto per punto con fermezza, e tirò fuori anche la serata con il tarallo. Dopo quarantacinque minuti di un'orazione da fare invidia a Socrate, Mr Spacey si schiarì la voce e le disse:

«Non credo che si possa risollevare la situazione con i taralli e le card dei punti... ma credo di poter aspettare ancora un anno per vedere se le cose continuano a migliorare. Ai grandi amori si deve sempre dare un'altra possibilità... Anche se io non posso permettermi di mantenere un'attività che rende poco. Lo capisce vero?»

«Lo capisco e non capiterà. Si fidi di me. A me basta che non diventi un ristorante turco.»

Ornella non pianse perché non volle piangere. Mr Spacey fece finta di nulla e chiese alla segretaria di portare due tazze di tè, che lei ormai beveva come se fosse la tisana drenante: obbligatoriamente. Uscì a testa alta con quella piccola vittoria in tasca. Un anno poteva essere breve, o lunghissimo, ma in un anno potevano succedere tante cose.

Appena fu fuori, sorrise a tutti i passanti che incontrava, e i pochi che incrociavano il suo sguardo pensavano che fosse pazza. Quando fu di nuovo pronta a parlare, chiamò Bernard.

Si incontrarono sotto la statua di Piccadilly Circus come due turisti. Lui non ci poteva credere che per incontrare la sua vicina di casa dovesse andare fino in centro. Dal sorriso con cui Ornella gli andò incontro, capì che l'appuntamento era andato bene, ma lasciò che fosse lei a dirglielo. Le rispose solo "non avevo dubbi" e mostrò due sacchetti carichi di roba.

«E cosa sarebbe?»

«Il nostro pranzo. Ho pensato che visto che è spuntato questo sole non possiamo non mangiare fuori... almeno scegliamo noi il posto... che ne pensi?»

«Penso che in questo momento sono contenta.»

Presero la metropolitana fino a Baker Street, attraversarono la strada e si ritrovarono dentro Regent's Park, dove Ornella andava a camminare i primi anni in cui era arrivata a Londra. Bernard non poteva saperlo e lei cominciò davvero a credere al destino. La stava portando proprio in uno dei suoi luoghi preferiti, e soltanto un uomo che ti ama lo può intuire senza volerlo. Perché l'amore non è mai calcolo ma solo istinto.

In realtà, anche se non riusciva ad ammetterlo, aveva una paura fisica del sesso. Sapeva che prima o poi sarebbe arrivato quel momento in cui ci si spoglia, e lei lo aveva sempre fatto, con Axel, sotto l'effetto di qualche sostanza.

Da lucida non sapeva se ne sarebbe stata capace, e questo la bloccava. Era come se fosse un'adolescente nel corpo di una signora.

Entrare a Regent's Park la rassicurò, anche perché non ci andava mai e con il cielo così contrastato era ancora più bello. Non avevano il cestino da picnic, ma si sedettero lo stesso sull'erba. Bernard apparecchiò con il suo impermeabile, noncurante che si potesse macchiare.

Davanti a loro, un laghetto su cui il sole si specchiava davanti a poche persone. Nel dubbio, lui aveva preso di tutto, anche dei mignon di prosecco, che a Ornella fecero tenerezza. C'era qualcuno che aveva attraversato la città solo per poter trascorrere un po' di tempo con lei. Questo non solo era bello, ma era un regalo. Finalmente decise di accettarlo, di sorridere, di brindare e di parlare senza fare calcoli o lasciarsi prendere dalle paure.

Bernard evitò di baciarla perché non voleva che qualcosa andasse storto. Anche lui era felice, sebbene non riuscisse a dimostrarlo come avrebbe voluto. Si limitò a dire "che bella giornata" come se quella frase potesse contenere tutto. Dopo poco si alzò di nuovo il vento, in uno di quei momenti in cui Londra cambia set alla velocità di un film americano.

Decisero di fare due passi addentrandosi nel giardino delle rose. Erano anni che Ornella non ci tornava. Ad attenderli, una distesa di petali.

«Sai cosa mi piace di te, Ornella? Che non so mai cosa pensi.»

«In effetti non lo so neanche io. Per troppi anni ho pensato prima di agire, prima di parlare... ora mi sono stufata. Per questo ti ho chiamato stamattina. Avevo bisogno di qualcuno al mio fianco, e ho scelto te.»

Lui la attirò a sé con decisione, prima di aggredirla con un bacio che nessuno dei due avrebbe più dimenticato, anche perché di lì a poco si scatenò l'inferno con raffiche fortissime.

Si erano finalmente trovati senza cercarsi, e quando ti capita non puoi metterti a discutere con il tempo. Puoi solo ringraziarlo. Così continuarono a baciarsi malgrado le folate fredde che sollevavano i petali. Bernard avrebbe voluto raccoglierne uno da regalare a Ornella, ma pensò che sarebbe arrivato anche il momento per quello. Sentì la sua mano che lo cercava di nuovo e capì che forse era ora di tornare a casa.

46

La notizia che la libreria aveva ancora un anno di speranza venne accolta da una specie di ola all'Italian Bookshop. Era come se avessero fatto gol tutti insieme e Clara si lanciò pure in un abbraccio con Diego, lasciando Ornella senza parole. Abituata a essere sempre l'ago della bilancia, si sentiva messa da parte da tutti e due.

In realtà lei era orgogliosa di come, in poche settimane, fosse completamente cambiata l'atmosfera, che aveva ritrovato la magia dei primi tempi, quando la libreria sapeva diventare ora casa, ora bar, ora pianerottolo, ora confessionale. Le persone avevano percepito queste energie e l'effetto era stato dirompente: nuovi libri venduti, nuovi clienti acquisiti.

Clara riuscì a smorzare gli entusiasmi con il suo pessimismo che non era mai sparito del tutto, ma Diego la zittì con un "Maro', Cla', non portare peste, jamme" e fece il gesto delle corna togliendole ogni diritto di replica. L'euforia era contagiosa e regalò a tutti un pomeriggio indimenticabile, coronato dalla visita della signora Lovely che aveva un chiodo fisso: rivedere Mr George.

L'arrivo di due ragazze calabresi, invece, fece andare Diego nel pallone. «Siamo le cugine di Nunzio» gli disse una delle due, «che si è raccomandato di trattarci bene.» E lui capì che forse lo aveva perdonato.

Dopo l'approccio infelice in camera sua, Nunzio era sparito. Diego aveva provato a mandargli qualche messaggio, ma aveva ricevuto sempre risposte di circostanza. Lo tirava su di umore soltanto Julie quando gli regalava un fiore, e ogni volta lui era terrorizzato che Clara glielo fregasse.

Così servì le due ragazze calabresi come se da quello dipendesse il suo futuro. Chiese loro di salutare Nunzio, e non appena uscirono iniziò a tenere d'occhio il telefono, convinto che lui si sarebbe fatto vivo.

Niente. Diego si ammutolì in modo quasi eloquente. E più si sforzava di sorridere, più gli veniva da piangere. Ornella lo intuì e gli si avvicinò.

«So che forse ora non ti interessa, ma volevo dirti che questa libreria ha una specie di magia e guarisce da tutti i dolori. E adesso questo posto ha bisogno di te.»

«Ma io non ci sto con la testa, Orne'.»

«Invece la testa c'è. È la lingua che manca. Devi trovare la forza di parlare. Abbiamo già Russell & Crowe che stanno sempre zitti.»

«Non so se ci riesco.»

«Ce la farai. Ti fidi di me?»

«Certo. E non ti ho mai detto grazie, Ornella.»

«Nemmeno io ti ho mai detto grazie: è anche merito tuo se le cose si sono risollevate. E poi, se non fossi arrivato tu, io e Clara avremmo sicuramente litigato... quindi sappi che per me sei un portafortuna.»

«Per un napoletano è un onore.»

Continuarono a dirsi cose belle per tutto il pomeriggio, mentre Clara confabulava al telefono con un tono talmente basso che entrambi pensarono che parlasse con il veterinario, o un amante segreto. Per un attimo mise la chiamata in attesa e chiese a Diego se era libero quella sera, con un tono che non ammetteva forfait. Lui rispose di sì, anche perché aveva in programma una cena solitaria e depressa nella sua casa di Kilburn. «Bene» rispose Clara. «Stasera ti porto a teatro.»

Diego non oppose resistenza, anzi. Era sotto un treno e qualcuno si stava prendendo cura di lui. Ornella gli aveva regalato parole dolci e Clara aveva deciso di portarlo fuori.

Uscirono un po' prima del previsto, sollecitati da Ornella, per poter arrivare a Soho con calma. Quando passarono davanti al negozio di Julie, a lui venne un'idea. Chiese a Clara di scusarlo un attimo e sparì tra le piante.

«Volevo un fiore per una donna speciale...»

Julie vide fuori Clara già un po' innervosita per l'attesa imprevista.

«Immagino che questa donna sia anche abbastanza impegnativa...»

«Be', un po' sì.»

«Abbiamo almeno cinque sterline di budget?»

«Anche dieci.»

Julie si guardò intorno e vide delle belle rose bianche appena arrivate.

«Non so quanto dureranno... però ti consiglierei una di queste. Perché sono un po' misteriose. E te la confeziono per cinque sterline.»

«Ma a me piace di più così, senza niente.»

«Sicuro?»

«Sicuro.»

Dopo aver pagato, Diego prese la rosa e la regalò a Julie.

«Questa è per te. Basta un po' d'acqua e un po' di luce e potrai farla contenta.»

Julie si mise una mano davanti alla bocca e lo abbracciò forte. Aveva trovato qualcuno che parlava la sua stessa lingua.

Clara lo stava aspettando fuori sempre più impaziente e delusa nel vedere che il fiore non era per lei: «Era il suo compleanno» le disse lui per giustificarsi e Clara abbozzò un sorriso.

Presero la metro fino a Leicester Square, che a quell'ora era impregnata di ogni genere di odore e rumore. L'aria aveva il sapore di zucchero filato e una musichetta animava piccole giostre nel giardino. Clara guardava tutto con aria piuttosto schifata: lei la Londra turistica proprio non riusciva a comprenderla. Davanti al teatro, Diego capì che non sarebbe stata una serata come le altre: Clara lo stava portando a vedere *Mamma mia!*

Per la prima volta, da quando era rimasta vedova, Clara andava a vedere un musical in compagnia di un uomo e un po' rideva pensando che lui potesse sembrare un gigolò. Quando Diego le chiese del gatto, fu tentata di dirgli che era immaginario, ma poi pensò che quel segreto dovesse essere soltanto suo.

Appena si spensero le luci, la magia scese e lo show ebbe inizio. Con *The Winner Takes It All*, Diego si lasciò scivolare sulla poltrona, e tutte le frustrazioni degli ultimi giorni gli crollarono addosso. Le lacrime scesero silenziose, e lui le lasciò andare senza fermarle.

Durante gli applausi, che furono scroscianti e calorosi, riuscì ad abbracciare Clara e a dirle «Stasera ho trovato un'amica» e lei contraccambiò con un «*I'm so proud of you*». Erano anni che non abbracciava qualcuno.

Appena usciti, Diego ricevette finalmente un messaggio da Nunzio: "Le mie cugine ti adorano! Quando ci rivediamo?". Lui sentì che doveva parlargli appena possibile per sistemare le cose.

Caricò Clara su un taxi e decise di tentare l'ultima carta per provare a essere finalmente se stesso. Chiamò Nunzio, che era da solo nella sua reggia e stava guardando un film.

«Ma che sorpresa! Vuoi passare a bere qualcosa?» gli disse, e Diego poco dopo era già lì.

Aveva bisogno di scusarsi, ma soprattutto di confidarsi con qualcuno.

«Tu non lo dirai a nessuno, vero, quello che è successo l'altra sera?»

Nunzio lo guardò con gli occhi pieni di tenerezza.

«L'altra sera non è successo niente, Diego. Tu hai frainteso il mio comportamento e hai pensato che io volessi fare sesso con te... sono cose che succedono, e non sei l'unico che si comporta così con me... anche se tu sei stato il più spudorato. È che io, quando decido di diventare amico di qualcuno, ci metto così tanta passione che viene scambiata per passione fisica... invece sono solo il classico calabrese! Anche se non mangio la 'nduja, sempre di fuoco siamo fatti.»

«Sentirtelo dire mi dà sollievo perché io sono solo, Nunzio. Solo con questo segreto... e sapere che qualcuno lo sa e non mi giudica per me è la cosa più bella del mondo.»

«Quando l'altra sera hai mollato lì la cena era per un ragazzo, vero?»

«Eh sì... lasciamo perdere. Una volta ti racconterò...»

«Tu devi stare tranquillo perché adesso hai qualcuno di cui puoi fidarti. E poi volevo dirti una cosa che non ho ancora detto a nessuno. Ho appena deciso di sposare Anastasia... e mi piacerebbe che tu fossi il mio testimone di nozze.»

«Ma ci siamo visti solo tre volte in croce... e io ti sono pure saltato addosso!»

«Sei la prima persona che mi confida un segreto. E questo è un privilegio che nessuno mi aveva mai concesso. Quindi, se sarai al mio fianco in un giorno così importante, io ne sarò fiero.»

Diego lo salutò con un abbraccio e uscì di casa senza riuscire a dire molto. Vagò per un po', felice di essersi tolto finalmente un peso dalla coscienza. Trovò un autobus notturno che andava a Kilburn. Le luci dei lampioni gli si riflettevano sul volto, creandogli un po' di fastidio. Uno strano rumore attirò la sua attenzione. Sembrava un rantolo. Si girò e vide in uno degli ultimi sedili un ragazzo in lacrime. Aveva poco più di vent'anni. Erano lacrime d'amore, era evidente, ed erano molto più dolorose delle sue. Diego aprì la rubrica del telefono, si mise a smanettare, e quando gli apparve la scritta: "Sei sicuro di voler cancellare Carmine?" rispose: "Sì".

Si voltò verso il ragazzo e gli fece un saluto con la mano. Per un attimo si scambiarono un piccolo sorriso e una certezza: non erano soli. Fu il più bel regalo che Londra gli potesse fare a quell'ora della notte.

47

I grandi amici sanno sempre quando tornare. La Patti aveva aspettato un mese, perché voleva che Ornella spiccasse il volo da sola. Seguiva da lontano il suo amore un po' adolescenziale con Bernard, facendo un tifo scatenato affinché la sua amica si lasciasse andare. In realtà, era anche un modo per non pensare alla propria situazione, che era di colpo precipitata.

Dopo la morte della zia, il marito aveva deciso di lasciarla e chiedere la separazione. Messo alle strette, aveva confessato di avere un'amante da mesi con cui avrebbe voluto iniziare una nuova storia, ma finché c'era la zia bigotta non aveva avuto il coraggio di deluderla.

Ora che il testamento era stato aperto e lui era l'unico erede, poteva finalmente sentirsi libero di vivere come desiderava. Alla lettura delle carte, anche la Patti ebbe il suo momento di gloria: la zia Lucrezia le aveva lasciato un appartamento in corso Venezia di trecento metri quadri e lei, appena si rese conto che era stato un gesto di affetto, scoppiò in lacrime davanti al notaio. Poi iniziò a fantasticare di affittarlo agli arabi.

Sebbene non fosse più innamorata di suo marito, essere lasciata per un'altra fu un duro colpo, perché era sempre stata convinta che l'avrebbe mollato lei.

Fu proprio quel giorno che decise finalmente di aprire la busta che Maria Grazia le aveva consegnato in comunità. Scelse di farlo la prima volta che entrò nell'appartamento che aveva ereditato. Restò un po' delusa quando scoprì che non era proprio una lettera completa.

"Cara Patti,

sono mesi che ormai te ne sei andata, e io sono ancora qui in comunità e spero di continuare a viverci per sempre... i canarini in fondo sono felici solo nelle gabbie. Stamattina mi sono alzata alle sei come sempre... dovevo preparare la colazione per tutti, ma senza di te alzarsi all'alba è molto meno bello. Poi ho lavato non so quante lenzuola di quelli dell'albergo, che non capisco davvero che razza di zulù sono a casa propria per lasciare le camere in quelle condizioni...

Ho fatto i colloqui a tre nuovi ragazzi che vorrebbero entrare in comunità, e sento che uno ce la potrebbe fare. Gli altri erano solo spinti dai genitori, e tu sai cosa voglio dire... E il pomeriggio, intorno al fuoco comune, tutti mi chiedevano di te, di te, di te, di te e... di te!!! Volevano sapere se ero a conoscenza di dove fossi finita. Io ovviamente ho negato tutto... Ma la vera ragione per cui ti scrivo è che oggi mi ha fermato il tuo giardiniere. Mi ha detto solo: "Se un giorno rivedrai la Patti, dille che è una ragazza straordinaria... che merita di essere felice". Pensavo che ti facesse piacere saperlo. Poi ti volevo anche dire che..."

La lettera s'interrompeva così – tipico di Ornella – e alla Patti, dopo qualche lacrima, venne da ridere nel suo nuovo appartamento. Ricevere quelle parole a così tanti anni di distanza alleviò non poco il dispiacere di non essere stata riconosciuta. O forse, semplicemente, il giardiniere era diventato miope, e non l'aveva proprio vista.

La Patti arrivò all'Italian Bookshop un sabato pomeriggio pieno di gente, scontrini e confusione. Vedere Ornella, Clara e Diego così in armonia la riempì di soddisfazione: ognuno aveva un suo territorio, ma era abile a sconfinare in quello degli altri e questo dava ai clienti un senso di calore che li portava a entrare in libreria anche solo per commentare un libro o suggerire un film.

Nell'ultimo mese, Diego era la persona che era maturata di più. Nunzio era diventato il suo migliore amico e lo invitava a muoversi e a conoscere nuovi ragazzi: "Per essere felici bisogna darsi da fare" gli diceva. Ma ci voleva tempo.

Una volta che Clara lo aveva visto con gli occhi persi nel vuoto, gli aveva detto: "Ci sono fiori che vanno recisi anche se sono appena sbocciati, perché sono velenosi" e lui aveva avuto la certezza che lei avesse capito tutto. Per una volta, Clara fu indulgente anche quando vide arrivare la Patti, che si presentò in libreria con regali per tutti. A Ornella, però, lo diede una volta a casa, quando rientrarono a piedi. Era una collana di Tiffany con la scritta "*Friends*".

«Grazie amica mia, ma non dovevi.»

«Invece sì... perché la tua lettera di tanti anni fa mi ha aperto il cuore...»

«E cosa ti dicevo?»

«Un sacco di cose belle... anche se poi non l'hai finita... ma ci sarà il momento di parlarne. Prima però ti devo chiedere un favore.»

«Lo potevi fare anche senza regalo.»

«Stasera ho bisogno della casa, Ornella.»

«In che senso?»

«Nel senso che tu non ci devi essere. Ho invitato a cena Samir, che però finisce alle nove, quindi ho tutto il tempo di cucinare qualcosa. Cos'hai nel frigo?»

«Come sarebbe che io non ci posso stare? E dove vado?»

La Patti la guardò indicandole la villetta confinante con la sua.
«Vedi tu.»
«Stasera dovrei andare a cena da Bernard e pensavo che venissi anche tu... ma non me la sento di dormire a casa sua...»
«A questo punto sei obbligata. Fallo per la tua amica mollata dal marito per una più giovane! Poi faremo una cena tutti insieme.»
Ornella sentì che non aveva scampo. Andò in camera e riaprì il disegno che le aveva lasciato Axel, dove lei imbracciava la chitarra. In alto, in un angolino, era tratteggiato un piccolo sole. Richiuse il foglio in quattro, uscì di corsa e andò a suonare alla porta di Bernard, che per una volta non era preparato.
«È successo qualcosa?»
«Perché?»
«Ormai comunichi con me solo al telefono.»
«È un'emergenza. La mia amica Patti stasera ha una cena di lavoro a casa mia che finirà tardi... e ci sarà molta gente che non ho voglia di vedere....»
«E dunque?»
«Se non è un problema, vorrei chiederti se posso dormire da te.»
Bernard fece un triplo salto mortale, un doppio carpiato e i cento metri in otto secondi, ma solo nella sua mente.
«Sono mesi che aspettavo questo momento.»
«Dormiamo e basta però, eh.»
«Sì, certamente. Ma prima lascia che ti cucini qualcosa come avevamo previsto, così la tua amica può fare la sua riunione tranquilla. Ti aspetto qui tra un'ora, guai a te se arrivi prima, ok?»
«Promesso.»
In quell'ora, in casa da sole, la Patti e Ornella sembravano due ragazzine che si davano reciproci consigli su come affrontare la serata. Con Samir, la Patti sognava di prendersi una rivincita nei confronti di suo marito e del giardiniere, che aveva dimenticato a casa gli occhiali da vista.
Ornella invece voleva superare la paura di poter ancora ama-

re qualcuno. Qualcosa nel suo cuore le diceva che ce l'avrebbe fatta, perché in fondo si era innamorata.

Aiutò la Patti a preparare una cena per Samir con quello che aveva nella dispensa, cioè poco. Trovò per fortuna una scatola di fagioli borlotti con cui improvvisarono un antipasto. Poi ci aggiunse riso basmati e cheddar a volontà. Tutti i presupposti di una cena romantica, insomma.

Ornella si presentò da Bernard con una bottiglia di vino e un trolley che la faceva sentire un po' ridicola. Appena varcò la soglia, per la prima volta si sentì a casa in un luogo diverso da quello dove viveva.

Lui aveva apparecchiato in modo semplice e senza fronzoli, senza candele, senza cerimonie. Voleva che non sembrasse una cena importante. Questo tranquillizzò Ornella, che si tuffò sugli antipasti in gelatina anche se a lei ricordavano tanto la Simmenthal.

Poi Bernard commise uno degli errori più grossolani per uno straniero: cucinò la pasta. Gli venne così scotta che sembrava una minestra. Quando però vide Ornella mangiare fino all'ultimo rigatone, capì che avrebbero passato una splendida notte d'amore.

Fu molto più bello di come entrambi lo avessero immaginato. Si baciarono per un tempo dilatato, che andava per conto suo. Ornella si fece aiutare dal vino, ma poi si dimenticò di tutto. Non c'era più né prima né dopo. C'era solo il suo amore, il suo primo amore da persona libera.

Si lasciò finalmente andare e si divertì. Quando si risvegliò, perché per lei fu come un sogno, si chiese perché avesse aspettato tutto quel tempo.

Dormirono schiena contro schiena, e Bernard le diede il buongiorno portandole a letto una tazza di Nescafè. Ornella si affacciò alla finestra per cercare tracce della Patti, senza trovarne. La chiamò e le chiese di affacciarsi: così, gesticolando come due acrobate, mentre la Patti era ancora intontita, si sorrisero da lontano rimandando al pomeriggio tutti i racconti. Appena rientrò, vide Bernard in accappatoio e gli disse:

«Ti va se facciamo un giro al parco? Ti voglio portare in un posto.»

«Mi va tutto quello che ti fa stare bene.»

Si vestirono in fretta, convinti che sarebbero tornati presto.

Mentre salivano per Well Walk, Bernard le prese la mano per spronarla ad andare più veloce, e lei si sentì già dimagrita. Era una domenica perfetta, con una brezza che sgombrava l'aria da ogni dubbio.

Quando arrivarono alla panchina, Mr George era lì che stava finendo *Il barone rampante*. Ornella gli andò incontro come possono fare solo i nipoti con i nonni: di corsa.

«Bernard, ti presento l'uomo più affascinante e intelligente di tutta Hampstead: Mr George. Lui sa tutto di te, di noi, di me. Non so chi me l'abbia mandato, ma so che tu lo dovevi conoscere per forza.»

Bernard gli strinse la mano e gli sorrise, cercando subito un po' di conversazione. Ma erano tutti e tre troppo emozionati per sembrare naturali, e poi quella panchina non era abituata a ospitare così tante persone. Ornella sentì un leggero disagio e le venne un'idea.

«Mr George, lei non ha problemi di orario, vero?»

«Se mi sta dando del vecchio che non ha niente da fare, c'è riuscita come al solito.»

«Oddio no! Non intendevo quello... vorrei farle fare un giretto...»

«Disponga di me come vuole. Basta che non mi faccia incontrare la signora Lovely, che ormai mi fa la posta sotto casa.»

Ornella scoppiò a ridere e allungò un braccio per aiutarlo ad alzarsi, mentre con l'altro si attaccò a quello di Bernard. E attraversando il parco arrivarono a Parliament Hill.

Mr George non ci rimetteva piede da troppi anni, e non pensava di aver di nuovo la forza di ritornare in quel luogo. Salirono lentamente e di colpo si ritrovarono in paradiso.

Una distesa di aquiloni copriva il cielo, con genitori e bambini impegnati a guidarli e inseguirli. Sullo sfondo, bella come la loro nuova vita, Londra faceva vedere tutto ciò di cui era capace, con i suoi grattacieli che sfidavano il futuro. Mr George era commosso. Chissà come gli avrebbe sorriso sua moglie a vederlo di nuovo lì.

Ornella si catapultò su una panchina che si stava liberando e occupò il posto anche per loro. Si sedettero tutti e tre in fila a guardare quello spettacolo.

Nella confusione, notarono un bambino che non riusciva a far volare il suo aquilone. Ci provava e riprovava con ostinazione, davanti alla frustrazione crescente del padre. Ornella guardò Bernard, che decise di aiutarli. Si avvicinò a quel genitore orgoglioso ma esausto, che depose subito le armi, affidandogli il filo. Dopo un primo esperimento andato a vuoto, spiegò pazientemente al bambino i movimenti che doveva fare, e il tipo di corsa.

Al terzo tentativo, l'aquilone spiccò finalmente il volo. Non si capiva se fosse più contento il bambino o suo padre.

E mentre osservava Bernard che correva incontro al cielo, Mr George si avvicinò a Ornella, le prese la mano e le disse che ormai poteva morire felice. Lei guardò quel mare di aquiloni e pensò che in fondo era una ragazza fortunata.

Ringraziamenti

Ho conosciuto tante persone nella vita, ma poche hanno la caratura, lo charme e la bellezza di Ornella Tarantola, amica fraterna da subito, cioè dalla prima volta che ho accettato l'invito nella sua libreria di Londra. All'epoca l'Italian Bookshop si trovava in Cecil Court, dietro Charing Cross, accanto a un negozio di scarpe dove andava Amy Winehouse. La prima volta che sentii al telefono Ornella, mi disse: "Devo subito ordinare la focaccia per l'incontro".

Ho scoperto i segreti del suo passato solo qualche anno dopo, in un'enoteca di Roma, e da allora non ci siamo più persi. Abbiamo vissuto entrambi momenti difficili, ma non ci siamo mai abbattuti, incoraggiandoci a distanza.

È venuta alla festa per i miei quarant'anni con una copia autografata di Saul Bellow del 1970 e un'amica bionda: la Patti. Solo qualche anno dopo ho capito che il vero regalo era la Patti.

Ornella è una delle poche persone che mette d'accordo tutti: dai genitori agli amici, passando per mio fratello Marco e tutte le star che dopo averla conosciuta hanno organizzato un incontro nel suo bookshop.

Ora questa libreria rischia di chiudere, perché verrà abbattuto il palazzo in cui si trova. E quando ho sentito dire a Ornella: "La libreria mi ha salvato. Io devo salvare la libreria", il mio cuore ha battuto così forte che ho deciso di raccontare la sua storia, anche se romanzata, sperando che nel mio piccolo io possa contribuire a salvare questo posto speciale e a farvi conoscere una donna fuori dal comune.

Se avete idee o mezzi, battete un colpo: abbiamo la focaccia, tanti libri e una bella agenda telefonica.

Dentro questo romanzo ci ho messo il cuore e un po' di tutto, mischiando le carte, i ricordi, la fantasia, le battute, il vissuto di Ornella e il mio. E anche se alcuni nomi sono "reali", i fatti sono stati travisati dalla mente distorta del sottoscritto, che ama sempre drammatizzare o sdrammatizzare, a seconda della situazione o dell'umore.

Quella che racconto è una Londra un po' lontana dal centro, a Hampstead, che ho scoperto tra tisane, risate e molti drink. Se oltre ai ringraziamenti leggerete anche il romanzo, scoprirete qualche altro posto dove andare.

Quindi grazie, Ornella, per questo viaggio bellissimo.

Grazie anche a Patti Reed, altrettanto unica e inimitabile, che merita solo gloria, tappeti rossi e limousine ad attenderla in tutti gli aeroporti del mondo. Fortunato chi ha il piacere di conoscerla. (Purtroppo al momento non è miliardaria.)

Grazie alla splendida Clara Caleo Green, che in comune con la Clara di questa storia ha solo il nome, la pronuncia di Londra Nord e un gatto (vero).

Grazie a Chiara Bulgarini, senza la quale questa "storia" sarebbe finita diversamente.

Grazie ai Tarantola Cervia e loro sanno perché.

Grazie al grande Diego Davide, il mio Virgilio napoletano in scooter, e a Silvia Franceschini, per avermi fatto conoscere la "sua" Verona.

Grazie a Joy Terekiev, un'editor affettuosa, puntigliosa e meravigliosa: non è un caso se ci siamo trovati.

Grazie alle amiche di Ornella che mi hanno aiutato a scoprirla da altre angolature, in particolare a Susanna Rigoni, Francesca Manitto e alla brillante Flavia Gentili.

Grazie al mio amico "australiano" Fabrizio Fabs Corona per l'amicizia e la foto sulla panchina.

Grazie agli amici di Londra che mi fanno sentire a casa: Enrico Lampis, Franca Boschi, Stefano Tura, Rocco Franco, Monica Martini, Salvo Nicosia, Igor Astrologo, Renata Sguotti, Katuscia Da Corte, Sarah Eti Castellani, Giandomenico Iannetti, Achille Vallone, Federico Spoletti, Anna Lisa Rapanà, Alberto Badino, il mitico Bernard Hunter, Paquita Garcia e gli amici indiani del ristorante Bengala.

Grazie a Marco Ponti, alla sua capacità di farmi vedere più in là. Felice di lavorare insieme al film tratto da *Io che amo solo te*. E grazie a Federica Lucisano per questa avventura esaltante.

Grazie agli amici pugliesi che mi fanno mangiare a casa: Gianni Polignano & Co., Gianpiero Pisanello, Annamaria Minunno, Piero Comes, Danilo Cacucciolo, Lorenza L'Abbate, Carmelina Sangiorgi, Renata Garofalo, Bruno & Maria, Le Macare, gli amici del Begula, del Mint, del Comes, di Cozze Nere, dei 2 Ghiottoni e del Dock's di Locorotondo (mamma quanto mangio).

Grazie a Benedetta Finocchi, SuperSimo Baroni, Andrea Caravita e Dolce e Gabbana, per l'affetto e gli outfit (ma è corretto dire "outfit"?).

Grazie a Belén Rodriguez per una frase della Patti e a Laura Righi per una frase di Ornella.

Grazie ad Alberto Matano, Alfredo Gramitto Ricci, Tania Sachs, Roberto Vecchioni, Federica Damiani, Sandra Piana – Santa! – Claudio Ferrante, Fabiola Balduzzi, Soave Verderio, Maria Suzuki, Francesca Cinelli, D'Alessandro & Galli, La Pina – Pina *ni kansha no ichirei wo* – e Diego, Kylee Doust, Marco Miana, Luisa Pistoia, Pia.

Grazie a Barbara Gatti, Fabiola Riboni, Nadia Morelli, Antonio Franchini, Cristiana Moroni, Giovanni Dutto, Elisa Denatali,

Nadia Focile, Cecilia Palazzi, Loredana Grossi, Jacopo Milesi, Mara Samaritani, Camilla Sica e tutti in Mondadori: forza!

Grazie agli alberghi che mi hanno aiutato a scrivere meglio: Regina Elena di Santa Margherita, Borgo Egnazia, Torre Coccaro e Masseria San Domenico a Savelletri, il Parkers di Napoli e il Baglioni di Londra.

Grazie alla mia famiglia, a Felipe Passos da Silva, agli amici di Torino, a quelli di Milano e a quelli di altra dimora. *I love you all.*

Infine grazie ai librai coraggiosi, ai miei lettori e ai lettori tutti: siete persone ormai rare. Scusate se non rispondo sempre alle vostre parole, ma continuate a scrivermi, vi prego!!!

P.S. Il prossimo romanzo sarà solo di ringraziamenti.